MACARON

© Les Publications Modus Vivendi, inc., 2009

LES PUBLICATIONS MODUS VIVENDI INC.
55, rue Jean-Talon Ouest, 2ᵉ étage
Montréal (Québec) H2R 2W8
Canada

www.modusaventure.com

Éditeur : Marc Alain
Designer graphique : Émilie Houle
Photographe : André Noël
Réviseure : Germaine Adolphe
Relecteur : Guy Perreault

ISBN 978-2-89523-624-5

Dépôt légal – Bibliothèque et Archives nationales du Québec, 2009
Dépôt légal – Bibliothèque et Archives Canada, 2009

Nous reconnaissons l'aide financière du gouvernement du Canada par l'entremise du Programme d'aide au développement de l'industrie de l'édition (PADIÉ) pour nos activités d'édition.

Gouvernement du Québec – Programme de crédit d'impôt pour l'édition de livres – Gestion SODEC

Imprimé au Canada

MACARON

Gaëlle et Johan Crop
Chefs pâtissiers

MODUS VIVENDI

Table des matières

Introduction

Une passion s'accompagne parfois de travail et d'efforts, mais toujours de bonheur. La nôtre s'appelle macaron et nous comble chaque jour davantage. Après plusieurs années d'expérience en pâtisserie à Paris, notre désir de progresser et notre goût pour l'aventure nous ont menés au Québec, où nous avons eu la chance d'ouvrir *La Maison du Macaron* - la première boutique spécialisée dans les macarons de la province.

Un an plus tard, devant le succès de cette petite gourmandise parisienne, nous souhaitons partager notre passion en offrant ce livre de recettes qui exalte l'art de la pâtisserie à travers le macaron. Au fil des pages, vous découvrirez notre parcours et apprendrez tous les petits secrets de la confection du macaron, cette merveille qui est devenue le moteur de notre vie.

Nous vous proposons des recettes déclinées en six catégories : les macarons sucrés, les macarons saisonniers, les macarons du Québec, les macarons glacés, les macarons-desserts et les macarons sucrés-salés.

Pour ajouter du piquant, nous vous invitons à relever un petit défi gourmand. Sur une année complète, vous devrez réaliser chaque mois au moins une recette, dont celle indiquée dans la section des « *macarons saisonniers* ». Bonne découverte !

Bienvenue dans notre monde macaron !

Cette pâtisserie n'est sans doute pas la plus simple à confectionner, mais comme dans tout, la technique de fabrication parfaite s'acquiert avec le temps et l'expérience. Rassurez-vous, en suivant les pistes que nous vous donnons, vous pourrez très vite vous perfectionner. Faites preuve de patience et de persévérance, et surtout, prenez du plaisir. Vous allez à coup sûr ravir petits et grands avec vos délices qui ne laisseront personne indifférent.

Par ailleurs, nous espérons que notre expérience donnera à tout un chacun l'envie d'aller jusqu'au bout de ses rêves. Il faut oser, prendre des risques et faire les bons choix. La reconnaissance que nous en obtenons devient alors notre plus grande récompense.

Le parcours des chefs

Gaëlle Crop, chef pâtissière

Gaëlle a toujours rêvé de devenir pâtissière; sa voie était tracée. Enfant, elle préparait déjà des biscuits, des bûches roulées, des crêpes travaillées, des gâteaux de plus en plus élaborés. Adolescente, elle était fascinée par les palaces parisiens et regardait les reportages filmés à l'intérieur des cuisines. À dix-sept ans, après avoir obtenu un baccalauréat qu'elle avait fait par choix de sécurité, elle décida de concrétiser son rêve.

Elle quitta sa région natale pour Paris, la capitale tant convoitée, où elle savait qu'elle aurait la possibilité de travailler dans des pâtisseries haut de gamme très novatrices.

Tombée en amour devant la vitrine de la boutique de Gérard Mulot, elle mit tout en œuvre pour se faire engager par ce pâtissier de renom et réussit. Durant son séjour de deux ans dans cet établissement, elle effectua son Brevet d'Études Professionnel (BEP) ainsi que sa Mention Complémentaire (MC). Elle découvrit enfin ce milieu dont elle avait tant rêvé. Le travail y était certes difficile, mais elle apprit énormément.

Elle se lança ensuite dans le Brevet Technique des Métiers (BTM), le diplôme de pâtisserie le plus élevé en France actuellement. Ce diplôme d'apprentissage en alternance la mena à la pâtisserie du Plaza Athénée, premier palace parisien, aux côtés du chef Christophe Michalak, champion du monde de la pâtisserie 2005. Au cours de ces années, sa passion de toujours pour la pâtisserie ne cessa de grandir, malgré la pression d'un milieu qui exigeait une force de caractère inébranlable.

Johan Crop, chef pâtissier

Johan est né à Paris; il n'était pas très porté sur les études. À seize ans, il trouva sa vocation grâce à un stage accompli à la Maison du Chocolat à Paris durant son année de troisième. La chocolaterie l'intéressait, mais pour démarrer, il devait s'orienter vers un apprentissage plus général en pâtisserie.

Il fit alors un Certificat d'Aptitude professionnel (CAP) en deux ans, chez le traiteur Potel et Chabot. Il se spécialisa ensuite avec une Mention Complémentaire chocolaterie (MC) en un an, à la pâtisserie le Triomphe, où il vit son intérêt pour la pâtisserie prendre forme. Puis il décida de poursuivre avec un Brevet Technique des Métiers pâtisserie (BTM) en deux ans, chez Gérard Mulot, où il approfondit ses connaissances. Dès lors, il consacra son temps et son énergie à ce qui était devenu une véritable passion.

La rencontre et le départ

Gaëlle et Johan s'étaient donc rencontrés chez Gérard Mulot. Animés par leur passion commune, ils prirent rapidement la décision de partir pour le Canada dès la fin des études de Gaëlle. Entre-temps, Johan occupa plusieurs postes à responsabilité dans différentes entreprises, certaines lui permettant de continuer à découvrir de nouvelles techniques (la Grande Épicerie de Paris; stage « Macarons et fours secs » chez Pierre Hermé) et d'autres, de prendre en charge la production et de s'initier à la gestion d'équipe et à l'organisation du travail (salon de thé Angelina; petites pâtisseries de quartier).

Le couple se maria en septembre 2007. Deux mois plus tard, l'heure du grand départ sonna. Gaëlle et Johan s'envolèrent vers Montréal, des rêves plein la tête. À leur arrivée, ils se trouvèrent vite confrontés à des réalités fort éloignées de ce qu'ils avaient imaginé. La pâtisserie fine étant moins développée qu'en France, la recherche de l'emploi rêvé s'avéra ardue. Ils se donnèrent deux ans pour s'acclimater, observer et décider de leur avenir.

La petite gourmandise parisienne

De la naissance du projet à l'ouverture de la boutique

Chacun de leur côté, Gaëlle et Johan travaillèrent dans diverses entreprises alimentaires (boutiques de cupcakes, chaînes de pâtisserie, restaurants), sans qu'aucune ne leur permette d'exercer pleinement leur métier. Leur rêve s'enlisait de jour en jour. Il leur fallait agir. À 22 et 25 ans respectivement, Gaëlle et Johan étaient à un tournant de leur vie professionnelle. Forts de leur expérience en pâtisserie (cinq années pour Gaëlle et huit pour Johan), ils envisagèrent l'éventualité d'un projet entrepreneurial.

À force d'observation, l'idée leur vint de se spécialiser dans une pâtisserie méconnue au Québec : le macaron. Cette petite merveille méritait d'être appréciée à sa juste valeur. Son succès toujours grandissant depuis des années à Paris s'était répercuté à l'ensemble de la France. N'était-ce pas là une preuve irréfutable ?

Dans un premier temps, ils décidèrent de fabriquer leurs produits à la maison. La concrétisation du projet était fragile, car confectionner des macarons en quantité commercialisable ne semblait pas évident dans un contexte ménager.

Après quelques jours de réflexion et plusieurs essais, la magie opéra : ils avaient réussi à obtenir de beaux macarons avec les moyens du bord, en mettant à profit leurs compétences et leur imagination. Comme quoi tout est possible si on le souhaite vraiment. En début d'année 2008, le projet macaron était bel et bien amorcé.

Les événements s'enchaînèrent très vite. Les commandes commençant à entrer, Gaëlle et Johan produisaient chaque jour en rentrant du travail et pendant leurs journées de repos. Bientôt, la demande croissante fit germer un autre projet de taille : l'ouverture d'une boutique spécialisée. En plus d'assouvir leur passion, ils seraient les premiers au Québec à promouvoir cette gourmandise qui a révolutionné la pâtisserie en France.

Discussion, questionnement, appréhension. Pour entreprendre ce projet sur de bonnes bases, Gaëlle s'inscrivit à un stage « Lancement d'une entreprise » de six mois en cours du soir au SAJE. L'objectif se précisait. Les démarches avançaient. L'étude de marché donna des résultats très encourageants, 87 % des personnes interrogées se disant intéressées par le produit. Gaëlle et Johan étaient confiants. Au mois de juin, ils trouvèrent un local sur le Plateau, près de l'avenue Mont-Royal, qui leur permit de démarrer selon leurs ressources et d'apporter progressivement des améliorations. Travaux, gestion du marketing, élaboration de la gamme de produits. L'été fila à une vitesse fulgurante. Puis arriva le 13 septembre 2008, jour de la grande ouverture qui allait donner le ton à la suite de l'aventure.

Stress, joie, fierté. Des millions de sensations mêlées habitaient Gaëlle et Johan. Toute la journée, ils accueillirent une succession de clients étonnés par leurs produits, qui les félicitaient et les encourageaient. Cette reconnaissance, jamais ressentie au cours de leur carrière, les toucha au plus haut point. À la fin de la journée, le bilan s'avéra exceptionnel, bien au-delà de leurs attentes. Ce jour mémorable allait célébrer le début de leur nouvelle vie, une vie à vivre leur passion pour faire plaisir aux autres. Comme eux, les québécois avaient succombé aux irrésistibles macarons crousti-moelleux.

Anecdote...

Après son arrivée à Montréal, Johan travaillait dans un hôtel. À la fin d'un service, une cliente qui se dirigeait vers les toilettes passa devant les cuisines. Elle s'arrêta et demanda à Johan si c'était lui le pâtissier. Il répondit : « Oui », et la dame s'exclama : « Votre dessert est écœurant ! » Quelle ne fut pas la déception de Johan devant ce commentaire peu flatteur. Mais quelle ne fut pas sa joie quand ses collègues lui apprirent le sens de cet adjectif au Québec !

Le souhait

Depuis ce jour inoubliable, le jeune couple de pâtissiers français souhaite devenir l'ambassadeur de cette petite gourmandise au Québec, afin de partager sa passion et faire découvrir un morceau de Paris et du terroir de son pays.

La dégustation du tout premier macaron s'apparente souvent à une véritable expérience tant ses textures sont uniques. Ces petits ronds aux airs de mini-burgers sont délicats, conviviaux et d'une finesse incomparable. Un vrai petit plaisir à offrir et à s'offrir.

Macarons

Les macarons

Les macarons

Histoire

Ces petites merveilles ne datent pas d'hier. Elles ont une histoire qui explique en partie leur succès. Quelques variations apparaissent dans les différentes versions, celle qui suit semblant la plus juste. Le macaron est une petite pâtisserie ronde dérivée de la meringue. Croquant à l'extérieur, moelleux à l'intérieur, il est composé d'amandes, de sucre glace, de sucre et de blancs d'œufs.

Inventée en Italie au VIIIe siècle, la précieuse recette a été ramenée en France au XVIe siècle par la gourmande Catherine de Médicis, à l'occasion de son mariage avec le duc d'Orléans, futur roi de France. Cette recette s'est ensuite répandue dans plusieurs régions de France, notamment grâce aux nonnes qui les fabriquaient dans les monastères. Même Louis XIV en a reçu à son mariage en 1660.

Nancy, Montmorillon, Reims, Pau, Amiens, Melun, Saint-Émilion, Boulay, Niort, autant de villes qui, à cette époque, ont commencé la confection du macaron, chacune avec sa particularité et son secret. Aujourd'hui encore, la tradition perdure de génération en génération.

Au début du XXe siècle, Pierre Desfontaines (petit-fils de Louis Ernest Ladurée) créa le macaron parisien, le « macaron gerbet », en accolant deux coques garnies d'une ganache.

De nos jours, les plus grands chefs pâtissiers rivalisent d'idées pour décliner les macarons à l'infini. Les créations et mariages de saveurs sont de plus en plus inattendus. C'est LA dernière tendance en France en matière de pâtisserie.

Nous vous souhaitons une belle découverte
de cette petite gourmandise irrésistible.

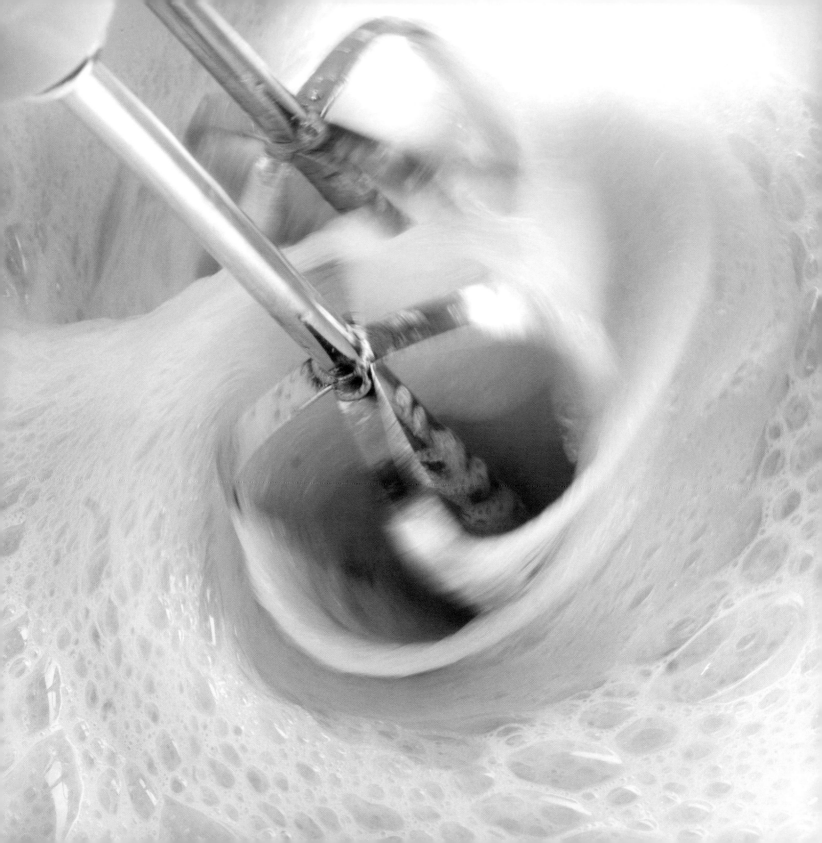

Les ingrédients

La magie macaron se traduit par le résultat spectaculaire obtenu à partir d'ingrédients très simples : poudre d'amande (l'ingrédient de base), sucre glace, sucre et blancs d'œufs. Rien de plus n'intervient dans la confection des coques de macarons, hormis de la poudre de cacao 100 %, au besoin, et des colorants facultatifs pour obtenir une couleur coordonnée à la garniture.

Il importe de bien choisir les ingrédients, en s'assurant que :

- La poudre d'amande est blanche et très fine. Elle se défait facilement entre les doigts, sans être trop grasse.

- Le sucre glace est amidonné entre 2 et 3 %, blanc et sans impuretés. Il ne forme pas un bloc compact.

- Le sucre est blanc et sans impuretés. Lors de sa cuisson, il est important d'ajouter 30 % de son poids en eau.

- Les blancs d'œufs ne sont pas trop frais. Ils sont à température ambiante et ne contiennent aucune trace de jaune d'œuf.

Il faut impérativement entreposer les ingrédients secs à l'abri de leurs pires ennemies : l'humidité et la chaleur.

Pour les garnitures entre les deux coques de macaron, les ingrédients sont multiples et les recettes, infinies. Crémeux, ganaches, confits, compotées... Chacun y va avec sa créativité, ses goûts, ses idées et les saisons. Le macaron laisse libre cours à l'imagination.

Inventez ! Amusez-vous !

Le macaron parfait

Comment reconnaître un bon macaron ? Exercez votre œil et votre palais; vous deviendrez vite expert(e) qualité en macaron.

Voici toutes les caractéristiques d'un macaron parfait :

- La forme est définie et bien ronde.

- Un pied est visible à la base de chaque coque – une jolie collerette significative du savoir-faire de la personne qui a confectionné le macaron.

- Les surfaces sont légèrement bombées, lisses et brillantes.

- Le macaron est légèrement croustillant à l'extérieur, moelleux à l'intérieur. Unique et caractéristique, cette texture résulte de la recette, de la technique de fabrication, de la maturation de 24 heures, de la méthode de conservation et de la fraîcheur du produit au moment du service.

- La teneur en sucre est parfaitement contrôlée. Pour garder un équilibre et une délicatesse en bouche, les garnitures sont beaucoup moins sucrées que les coques.

- Les couleurs sont bien dosées; elles sont franches sans tomber dans l'excès.

La dégustation

En général, vous devez confectionner vos macarons la veille de la dégustation; dans le cas contraire, vous trouverez l'indication dans la recette. Vous devez ensuite les réfrigérer 24 heures, période durant laquelle se fera la maturation; les coques et la garniture fusionneront pour donner au macaron sa texture si particulière.

La température idéale de dégustation est de 17 °C. Par conséquent, sortez toujours vos macarons du réfrigérateur avant le service pour les porter à température ambiante. Le temps requis varie selon la température de la pièce et la grosseur des macarons. En général, les petits macarons nécessitent de 15 à 30 minutes; les moyens, de 30 à 45 minutes et les gros, de 45 à 60 minutes. Ne laissez jamais vos macarons plus de 12 heures hors du réfrigérateur, car ils commenceraient à sécher et leur texture s'en trouverait transformée. Vous pouvez conserver vos macarons jusqu'à 5 jours au réfrigérateur. Rangez-les dans un contenant hermétique, pour éviter qu'ils n'absorbent les odeurs des autres aliments.

Avant
de commencer

Avant de commencer

Avant de commencer

Le macaron étant le produit le plus technique en pâtisserie, il est normal que vos premières tentatives ne donnent pas un résultat parfait. Ne vous découragez pas ! Vous verrez qu'avec de la patience et de la pratique, vous serez bientôt en mesure de vous régaler et de faire le bonheur de ceux qui goûteront à vos merveilles.

Préparez-vous ! La petite gourmandise parisienne s'invite dans votre cuisine, ça va déménager !

Matériel

Des ustensiles et appareils vous seront nécessaires pour la confection de vos macarons; la liste ci-dessous vous aidera à déterminer ceux qui vous manquent.

- Balance digitale, précise au gramme près
- Thermomètre digital (pour la pâte à macaron à base de meringue italienne et certaines garnitures)
- Batteur électrique à main
- Mélangeur à main
- Mélangeur sur socle
- Robot ménager
- Sorbetière (idéalement)
- Four à convection (idéalement)
- Poêles
- Casseroles
- Plaques à pâtisserie
- Papier parchemin
- Poche à douille
- Cuillères à glace (mini, moyenne et grande)
- Grand bol à mélanger en inox
- Spatule en silicone ou en bois
- Fouet
- Tamis
- Petite passoire
- Zesteur
- Cornet de papier

Recettes-repères

Voici quelques recettes de base pour réaliser vous-même certains ingrédients peu courants, sinon introuvables, en épicerie. Dans tous les cas, le résultat n'en sera que meilleur.

Pâte de noisette

Ingrédients

50 g de noisettes entières blanchies

Méthode

1. Préchauffer le four à 200 °C (400 °F).

2. Hacher grossièrement les noisettes et étaler sur une plaque à pâtisserie tapissée de papier parchemin et mettre à torréfier environ 10 minutes. Pour une pâte plus forte en goût, prolonger la torréfaction en prenant garde de ne pas brûler les noisettes.

3. À la sortie du four, passer les noisettes au robot ménager jusqu'à l'obtention d'une pâte lisse, brillante et coulante.

Remarque : La pâte restante peut être conservée dans un contenant hermétique, à température ambiante, jusqu'à sa prochaine utilisation.

Pâte de pistache

Ingrédients

50 g de pistaches vertes écalées

Méthode

1. Préchauffer le four à 200 °C (400 °F).

2. Hacher grossièrement les pistaches et étaler sur une plaque à pâtisserie tapissée de papier parchemin et mettre à torréfier environ 10 minutes. Pour une pâte plus forte en goût, prolonger la torréfaction en prenant garde de ne pas brûler les pistaches.

3. À la sortie du four, passer les pistaches au robot ménager jusqu'à l'obtention d'une pâte lisse, brillante et coulante.

Remarque : La pâte restante peut être conservée dans un contenant hermétique, à température ambiante, et servir notamment à aromatiser une crème.

Praliné amande noisette

Ingrédients

25 g de noisettes entières blanchies

25 g d'amandes entières blanchies

10 g de sucre

Méthode

1. Préchauffer le four à 180 °C (350 °F).

2. Étaler les noisettes et les amandes sur une plaque à pâtisserie tapissée d'une feuille de papier parchemin et mettre à torréfier 8 minutes.

3. Faire un caramel à sec : chauffer une casserole, verser le sucre et laisser fondre en remuant jusqu'à l'obtention d'un caramel (plus la couleur atteinte sera foncée, plus le goût du praliné sera prononcé et peu sucré). Ajouter les noix et mélanger jusqu'à ce qu'elles soient entièrement enrobées de caramel. Retirer du feu, débarrasser à plat sur une plaque à pâtisserie tapissée de papier parchemin et laisser refroidir.

4. Passer au robot ménager jusqu'à l'obtention d'une pâte lisse, brillante et coulante.

Remarque : La pâte restante peut être conservée dans un contenant hermétique, à température ambiante, et servir notamment à aromatiser une crème.

Purée de fruits

Ingrédients

Fruits (quantité de purée de fruits nécessaire dans la recette)

Sucre (10% du poids des fruits)

Méthode

1. Préparer les fruits selon la variété (laver, éplucher, retirer le cœur, dénoyauter) et couper en petits dés au besoin.

2. Mettre les fruits dans un contenant avec 10 % de leur poids en sucre, couvrir et réfrigérer toute une nuit. Réduire en purée, à l'aide d'un mélangeur à main, le lendemain (pour la rhubarbe, compoter à la poêle avec le sucre au préalable).

Techniques

Voici les deux techniques principales permettant la fabrication de la pâte à macarons.

Méthode à base de meringue française

Cette première méthode est la plus simple. Utilisez-la si vous êtes novice ou si vous manquez de temps.

Ingrédients

100 ml de blancs d'œufs
90 g de sucre
120 g de sucre glace
120 g de poudre d'amande

Méthode

1. Dans un bol, tamiser ensemble le sucre glace et la poudre d'amande, ainsi que la poudre de cacao si la recette le demande.

2. Monter les blancs d'œufs en neige au batteur électrique à main. Lorsque les blancs d'œufs sont fermes, ajouter le sucre et le colorant, si la recette le demande, sans cesser de battre.

3. Voici maintenant le moment délicat du mélange final, consistant à faire retomber l'appareil jusqu'à consistance parfaite : la surface du mélange battu doit se lisser à plat et être brillante, mais surtout ne pas être trop liquide.

Pour ce faire, verser les poudres en pluie sur la meringue française, en les incorporant délicatement au fur et à mesure avec une spatule en silicone. Ramener toujours la masse vers le centre jusqu'à incorporation complète des poudres. Répéter ce mouvement jusqu'à l'obtention de la bonne consistance.

Méthode à base de mcringue italienne

Cette seconde méthode, plus professionnelle, exige un peu plus de temps et de technicité.

Ingrédients

120 g de sucre   120 g de poudre d'amande fine

45 ml de blancs d'œufs   45 ml de blancs d'œufs

120 g de sucre glace

Méthode

1. Dans un bol, mélanger ensemble le sucre glace et la poudre d'amande avec 45 ml de blancs d'œufs, et ajouter le colorant et la poudre de cacao si la recette le demande.

2. Verser le sucre dans une casserole, ajouter environ 35 ml d'eau et chauffer. Placer la sonde du thermomètre dans le sirop de sucre et régler l'alarme à 121°C (250 °F).

3. Une fois le sirop à ébullition, commencer à monter en neige les autres 45 ml de blancs d'œufs au batteur électrique à main. Une fois le sirop à 121°C (250 °F), retirer la casserole du feu. Sans cesser de battre à vitesse moyenne, verser le sirop en filet sur les blancs d'œufs en neige.

4. Continuer à monter la meringue jusqu'à ce qu'elle soit tiède et de consistance parfaite : la meringue doit se tenir sur le fouet en formant un « bec d'oiseau », sans être trop ferme, et rester onctueuse.

Voici maintenant le moment délicat du mélange final, consistant à faire retomber l'appareil jusqu'à consistance parfaite : la surface du mélange battu doit se lisser à plat et être brillante, mais surtout ne pas être trop liquide. Pour ce faire, verser la meringue sur le mélange de sucre glace, poudre d'amande et blancs d'œufs, et incorporer délicatement à la spatule en silicone. Ramener toujours les deux masses vers le centre jusqu'à amalgamation complète. Répéter ce mouvement jusqu'à l'obtention de la bonne consistance.

Différences entre les deux méthodes :

La méthode à base de meringue française est plus simple, mais un résultat parfait est plus difficile à obtenir. Les coques seront un peu texturées et bombées.

La méthode à base de meringue italienne est un peu plus exigeante. En revanche, les risques d'échec sont moins grands. Les coques seront lisses, brillantes et légèrement plus plates.

Les deux méthodes permettent d'obtenir des coques de textures un peu différentes. La première donne un peu plus de moelleux et une consistance de biscuit plus dense, et la seconde, une texture crousti-moelleuse.

En réalité, ces différences sont si minimes qu'il est très difficile de distinguer des macarons réalisés selon l'une ou l'autre des méthodes.

Règles générales

Selon nous, « capricieux » est l'adjectif qui qualifie le mieux le macaron, car le moindre petit détail peut jouer sur son humeur. Ce petit délice aime qu'on lui porte une attention accentuée à chaque étape de sa réalisation. Confectionnez-le avec soin : il en vaut vraiment la peine.

Pour vous aider à débuter progressivement, le niveau de difficulté est mentionné de la façon suivante :

Très facile (1 macaron)

Facile (2 macarons)

Moyen (3 macarons)

Difficile (4 macarons)

Très difficile (5 macarons)

Matériel et ingrédients

- La précision étant primordiale en pâtisserie, l'utilisation d'une balance digitale est incontournable. C'est d'ailleurs la raison pour laquelle les quantités indiquées dans les recettes ne sont exprimées qu'en grammes.

- Les blancs d'œufs à utiliser doivent être à température ambiante, jamais trop frais.

- Les colorants étant plus ou moins concentrés, leur quantité n'est pas indiquée dans les recettes. Colorez vos pâtes à macarons avec minutie, en ajoutant le colorant goutte à goutte dans la préparation, pour éviter de tout gâcher par excès.

- Le matériel et les colorants nécessaires se trouvent facilement dans les magasins spécialisés en ustensiles et décors de pâtisserie.

- Les épiceries fines recèlent des produits aussi exotiques que raffinés, dont certains aliments peu communs utilisés dans les recettes. Saisissez ce beau prétexte pour partir à la découverte de nouveaux produits dans de jolies boutiques.

Planification

- Chaque recette porte l'indication du nombre de jours à prévoir avant d'entamer la production des macarons, ainsi que des précisions sur le déroulement des étapes.

La production s'échelonne le plus souvent sur deux jours. Parfois, la garniture est préparée le premier jour, tandis que la confection des coques, le garnissage et le montage sont effectués le deuxième jour. D'autres fois, la garniture, les coques, le garnissage et le montage sont réalisés le même jour. Dans les deux cas, une période de maturation de 24 heures est presque toujours requise pour les macarons assemblés. Par ailleurs, certaines recettes demandent une infusion de 24 heures, soit une journée de plus, et d'autres, un montage le jour de la dégustation.

Confection de la pâte à macarons

- Prêtez une attention particulière au moment de rabattre la pâte à macarons; c'est l'étape la plus importante de la recette. Si vous ne la faites pas assez retomber, vos coques ne seront pas lisses; elles seront trop bombées et ternes. Si vous la faites trop retomber, vos coques seront plates, dépourvues de pied et susceptibles de craquer à la cuisson.

Dressage

- La recette de base de pâte à macarons permet d'obtenir les quantités suivantes :

25 petits macarons de 4,5 cm (1¾ po) de diamètre

18 macalongs de 7,5 cm (3 po) de longueur

12 macarons moyens de 6,5 cm (2½ po) de diamètre

10 gros macarons de 7,5 cm (3 po) de diamètre

- Pour ne pas altérer la qualité des macarons, il importe que les poches utilisées soient très propres et sans aucune trace de gras, d'eau ou de farine.

- Il est conseillé de réaliser un gabarit au format requis pour obtenir un résultat régulier.

- Les dimensions données dans les recettes correspondent à la taille finale des coques. Une fois déposée sur la plaque à pâtisserie, la pâte va s'étaler, se lisser et s'élargir légèrement. Tenez compte de ce détail lors du dressage, en réduisant la taille des formes et en les espaçant suffisamment.

Cuisson

- Avant d'enfourner, mettez les coques de côté jusqu'à ce qu'une fine croûte se forme sur leur surface (15 à 30 minutes selon la taille); touchez-les pour vous assurer qu'elles ne collent pas au doigt.

- La cuisson doit être extrêmement précise. Une minute de trop et vos macarons peuvent être trop cuits et donc secs; pas assez cuits, la partie bombée retombera et des rides ou des tâches d'humidité apparaîtront sur les coques.

- Un four à convection est idéal. À défaut, mettez en marche la hotte d'aspiration pendant la cuisson.

Montage

- Attendez que les coques aient totalement refroidi avant de les décoller. En retournant les coques, vous pouvez faire un léger creux avec vos pouces au centre du pied, et en faire autant sur celles qui serviront de couvercle de manière que la garniture soit à peine visible une fois le macaron assemblé.

Conservation

- Les macarons doivent être conservés au réfrigérateur dans un contenant hermétique pour éviter, d'une part, que la condensation ne ternisse les coques et, d'autre part, que les odeurs des autres aliments ne viennent s'y fixer.

- Le macaron est un produit qui supporte très bien la congélation. Vous pouvez donc en préparer à l'avance (par exemple, avec des produits de saison) et les conserver au congélateur. Avant de servir, passez-les très rapidement du congélateur au réfrigérateur (pour éviter la condensation) et laissez-les dégeler au moins 12 heures. Ensuite, selon leur grosseur, sortez-les 15 à 60 minutes avant le service.

Astuce : La garniture qui reste après la confection des macarons n'est jamais perdue. Nappez-en vos crêpes, crèmes glacées ou yogourts. Les idées gourmandes ne manquent pas.

Astuce : Dans certaines recettes, les formes indiquées sont esthétiques, mais parfois difficiles à réaliser. Néanmoins, rien ne vous empêche de faire la recette en dressant tout simplement des mini-macarons ronds. Ils sont parfaits pour débuter. Une fois les bases du dressage maîtrisées, vous pourrez vous lancer dans la confection de formes un peu plus complexes. Vos œuvres vous combleront de fierté tout en épatant vos amis davantage.

Les recettes

Le moment est maintenant venu de vous lancer dans la fabrication de vos petites gourmandises. Suivez les recettes, profitez des produits frais de saison et laissez votre imagination vous inspirer. Amusez-vous et régalez vos proches !

Macarons sucrés

Dans cette première section de recettes, nous vous présentons les grands classiques dont on ne se lasse pas et qui sont idéaux pour faire vos premiers pas dans l'univers du macaron. Nous avons aussi introduit quelques saveurs inhabituelles qui impressionneront à coup sûr tous ceux qui y goûteront. Bonne découverte !

Macaron aux arachides

Quantité : 25 petits macarons • Planification : 2 jours à l'avance • Niveau : ●

Préparation de la ganache (jour 1)

125 g de chocolat au lait en petits morceaux
45 g de beurre d'arachide
80 ml de crème à 35 % de matière grasse

1. Mettre le chocolat et le beurre d'arachide dans un bol.

2. Faire bouillir la crème et verser sur le mélange précédent. Remuer délicatement jusqu'à consistance lisse.

3. Mélanger, ranger dans un contenant et réserver au froid.

Confection des coques (jour 2)

100 g d'arachides concassées

1. Préparer la pâte à macarons en ajoutant la quantité nécessaire de colorants brun et jaune, à parts égales.

2. Préchauffer le four à 150 °C (300 °F).

3. Sur une plaque à pâtisserie tapissée de papier parchemin, dresser des petits ronds d'environ 4,5 cm (1¾ po) de diamètre. Parsemer d'arachides. Laisser reposer jusqu'à ce que la surface des coques soit légèrement asséchée.

4. Cuire 12 minutes et laisser refroidir complètement.

Montage (jour 2)

1. Une heure avant le garnissage, sortir la ganache du réfrigérateur pour qu'elle reprenne une consistance facile à travailler.

2. Décoller la moitié des coques et les retourner sur une plaque propre.

3. Garnir généreusement de ganache à l'aide d'une poche à douille, puis fermer avec les coques restantes, en prenant soin de toujours assembler des coques de même taille.

4. Ranger les macarons dans un contenant hermétique et réfrigérer au moins 24 heures pour permettre la maturation. Les sortir 15 à 30 minutes avant le service.

Macovale café

Quantité : 25 petits macovales • Planification : 2 jours à l'avance • Niveau : ●●●

Préparation de la ganache (jour 1)

10 g de grains de café
70 ml de crème à 35 % de matière grasse
140 g de chocolat au lait en petits morceaux
30 g de beurre doux en petits dés

1. Concasser les grains de café.

2. Faire bouillir la crème avec le café concassé. Laisser infuser 15 minutes, puis porter une seconde fois à ébullition. Verser à travers une passoire sur le chocolat dans un bol. Remuer jusqu'à consistance lisse. Laisser tiédir.

3. Incorporer le beurre. Mélanger, ranger dans un contenant et réserver au froid.

Confection des coques (jour 2)

1. Préparer la pâte à macarons en ajoutant la quantité nécessaire de colorant brun ou d'extrait de café (avec parcimonie).

2. Préchauffer le four à 150 °C (300 °F).

3. Sur une plaque à pâtisserie tapissée de papier parchemin, dresser des « grains de café » ovales d'environ 5 cm (2 po) de longueur par 4 cm (1½ po) de largeur. Laisser reposer jusqu'à ce que la surface des coques soit légèrement asséchée.

4. Cuire 12 minutes et laisser refroidir complètement.

Montage (jour 2)

1. Une heure avant le garnissage, sortir la ganache du réfrigérateur pour qu'elle reprenne une consistance facile à travailler.

2. Dans un verre, mélanger une petite quantité de colorant brun ou d'extrait de café avec un bouchon d'alcool blanc, tel que du rhum. À l'aide d'un pinceau très fin, tracer un trait sur chaque coque pour reproduire la strie d'un grain de café.

3. Décoller la moitié des coques et les retourner sur une plaque propre.

4. Garnir généreusement de ganache à l'aide d'une poche à douille, puis fermer avec les coques restantes, en prenant soin de toujours assembler des coques de même taille.

5. Ranger les macarons dans un contenant hermétique et réfrigérer au moins 24 heures pour permettre la maturation. Les sortir 15 à 30 minutes avant le service.

Macaron caramel et fleur de sel

Quantité : 25 petits macarons • Planification : 2 jours à l'avance • Niveau : ●●●

Préparation du crémeux (jour 1)

1 feuille de gélatine
30 g de sucre
150 ml de crème à 35 % de matière grasse

1 jaune d'œuf
35 g de beurre doux en petits dés
2 pincées (1 g) de fleur de sel

1. Mettre la feuille de gélatine dans un grand volume d'eau très froide.

2. Faire un caramel à sec : chauffer une casserole, verser le sucre et laisser fondre en remuant jusqu'à l'obtention d'un caramel (plus la couleur atteinte sera foncée, plus le goût du caramel sera prononcé et peu sucré). Retirer du feu, verser doucement la crème froide en remuant constamment, puis remettre à bouillir.

3. Verser la préparation bouillante sur le jaune d'œuf en remuant énergiquement. Ajouter la gélatine égouttée. Laisser tiédir.

4. Incorporer le beurre. Mélanger, ajouter la fleur de sel, ranger dans un contenant et réserver au froid.

Confection des coques (jour 2)

100 g de biscuits gavottes

1. Préparer la pâte à macarons en ajoutant la quantité nécessaire de colorants brun et jaune, à parts égales, pour obtenir une belle couleur caramel.

2. Préchauffer le four à 150 °C (300 °F).

3. Sur une plaque à pâtisserie tapissée de papier parchemin, dresser des petits ronds d'environ 4,5 cm (1¾ po) de diamètre. Parsemer de biscuits gavottes émiettés. Laisser reposer jusqu'à ce que la surface des coques soit légèrement asséchée.

4. Cuire 12 minutes et laisser refroidir complètement.

Montage (jour 2)

1. Décoller la moitié des coques et les retourner sur une plaque propre.

2. Garnir généreusement de crémeux à l'aide d'une poche à douille, puis fermer avec les coques restantes, en prenant soin de toujours assembler des coques de même taille.

3. Ranger les macarons dans un contenant hermétique et réfrigérer au moins 24 heures pour permettre la maturation. Les sortir 15 à 30 minutes avant le service.

Macarré chocolat

Quantité : 25 petits macarrés • Planification : 2 jours à l'avance • Niveau : ●●●

Préparation de la ganache (jour 1)

110 ml de crème à 35 % de matière grasse
100 g chocolat noir à 65 % de cacao en petits morceaux
30 g beurre doux en petits dés

1. Faire bouillir la crème. Verser sur le chocolat dans un bol et remuer jusqu'à consistance lisse.

2. Incorporer le beurre. Mélanger, ranger dans un contenant et réserver au froid.

Confection des coques (jour 2)

1. Préparer la pâte à macarons en ajoutant 10 g de poudre de cacao 100 % au mélange de poudre d'amande et de sucre glace.
Si une teinte plus foncée est désirée, ajouter également du colorant brun et quelques gouttes de colorant rouge pour donner de l'éclat.

2. Préchauffer le four à 150 °C (300 °F).

3. Sur une plaque à pâtisserie tapissée de papier parchemin, dresser des petits carrés d'environ 4 cm (1½ po) de côté.
Laisser reposer jusqu'à ce que la surface des coques soit légèrement asséchée.

4. Cuire 12 minutes et laisser refroidir complètement.

Montage (jour 2)

1. Trente minutes avant le garnissage, sortir la ganache du réfrigérateur pour qu'elle reprenne une consistance facile à travailler.

2. Décoller la moitié des coques et les retourner sur une plaque propre.

3. Garnir généreusement de ganache à l'aide d'une poche à douille, puis fermer avec les coques restantes,
en prenant soin de toujours assembler des coques de même taille.

4. Ranger les macarons dans un contenant hermétique et réfrigérer au moins 24 heures pour permettre la maturation.
Les sortir 15 à 30 minutes avant le service.

Macaron chocolat et framboise

Quantité : 25 petits macarons • Planification : 2 jours à l'avance • Niveau : ⬤⬤⬤⬤

Préparation de la ganache (jour 1)

100 g de framboises fraîches
50 ml de crème à 35 % de matière grasse
95 g de chocolat noir à 65 % de cacao en petits morceaux

1. Mélanger les framboises et la crème dans une casserole, puis porter à ébullition.

2. Verser sur le chocolat dans un bol et bien mélanger jusqu'à consistance lisse. Ranger dans un contenant et réserver au froid.

Confection des coques (jour 2)

1. Préparer la pâte à macarons en ajoutant la quantité nécessaire de colorant rouge pour obtenir un beau rose framboise.

2. Préchauffer le four à 150 °C (300 °F).

3. Sur une plaque à pâtisserie tapissée de papier parchemin, dresser des petits ronds d'environ 4,5 cm (1¾ po) de diamètre. Laisser reposer jusqu'à ce que la surface des coques soit légèrement asséchée.

4. Cuire 12 minutes et laisser refroidir complètement.

Montage (jour 2)

50 g de chocolat noir à 61 % de cacao en petits morceaux

1. Faire fondre le chocolat au bain-marie ou au micro-ondes. Garnir un cornet de chocolat fondu et rayer finement toutes les coques. Ranger la plaque au réfrigérateur pour faire durcir le chocolat.

2. Une fois le chocolat bien figé, décoller la moitié des coques et les retourner sur une plaque propre. Prendre garde à la chaleur des mains qui pourrait faire fondre les traits de chocolat et abîmer la décoration.

3. Garnir généreusement de ganache à l'aide d'une poche à douille, puis fermer avec les coques restantes, en prenant soin de toujours assembler des coques de même taille.

4. Ranger les macarons dans un contenant hermétique et réfrigérer au moins 24 heures pour permettre la maturation. Les sortir 15 à 30 minutes avant le service.

Macaron chocolat et fruit de la passion

Quantité : 25 petits macarons • Planification : 2 jours à l'avance • Niveau : ●●

Préparation de la ganache (jour 1)

9 fruits de la passion (environ 120 g)
115 g de chocolat noir à 65 % de cacao en petits morceaux
20 g de beurre doux en petits dés

1. Couper en deux les fruits de la passion et récupérer la pulpe au moyen d'une petite cuillère.

2. Chauffer la pulpe sans faire bouillir. Verser sur le chocolat dans un bol et mélanger délicatement jusqu'à homogénéité. Laisser tiédir.

3. Incorporer le beurre. Mélanger, ranger dans un contenant et réserver au froid.

Confection des coques (jour 2)

50 g de poudre de cacao 100 %

1. Préparer la pâte à macarons en ajoutant la quantité nécessaire de colorant jaune et une pointe de colorant rouge.

2. Préchauffer le four à 150 °C (300 °F).

3. Sur une plaque à pâtisserie tapissée de papier parchemin, dresser des petits ronds d'environ 4,5 cm (1¾ po) de diamètre. Laisser reposer jusqu'à ce que la surface des coques soit légèrement asséchée.

4. Lorsque la surface ne colle plus, saupoudrer de cacao à l'aide d'une passoire fine.

5. Cuire 12 minutes et laisser refroidir complètement.

Montage (jour 2)

1. Décoller la moitié des coques et les retourner sur une plaque propre.

2. Garnir généreusement de ganache à l'aide d'une poche à douille, puis fermer avec les coques restantes, en prenant soin de toujours assembler des coques de même taille.

3. Ranger les macarons dans un contenant hermétique et réfrigérer au moins 24 heures pour permettre la maturation. Les sortir 15 à 30 minutes avant le service.

Macarré chocolat et menthe (After Eight)

Quantité : 10 petits macarrés individuels • Planification : 2 jours à l'avance • Niveau : ●●○○○

Préparation de la ganache (jour 1)

90 ml de crème à 35 % de matière grasse
5 g de feuilles de menthe fraîche
90 g de chocolat blanc en petits morceaux

20 g de beurre doux en petits dés
5 ml de liqueur de menthe
40 g de chocolat noir à 65 % de cacao

1. Mettre la crème à chauffer sans faire bouillir. Ajouter les feuilles de menthe et laisser infuser 15 minutes.
Mélanger le tout. Porter à ébullition, verser sur le chocolat blanc dans un bol et remuer jusqu'à homogénéité. Laisser tiédir.

2. Incorporer le beurre et la liqueur de menthe. Mélanger et faire refroidir complètement.

3. Hacher très finement le chocolat noir au couteau et incorporer à la ganache froide à l'aide d'une spatule.
Ranger dans un contenant et réserver au froid.

Confection des coques (jour 2)

1. Préparer la pâte à macarons en ajoutant la quantité nécessaire de colorant vert.

2. Préchauffer le four à 150 °C (300 °F).

3. Sur une plaque à pâtisserie tapissée de papier parchemin, dresser des grands carrés d'environ 7,5 cm (3 po) de côté.
Laisser reposer jusqu'à ce que la surface des coques soit légèrement asséchée.

4. Cuire 20 minutes et laisser refroidir complètement.

Montage (jour 2)

75 g de chocolat noir à 61 % de cacao en petits morceaux
8 ml d'huile de pépin de raisin (ou autre)

1. Une heure avant le garnissage, sortir la ganache du réfrigérateur pour qu'elle reprenne une consistance facile à travailler.

2. Décoller la moitié des coques et les retourner sur une plaque propre.

3. Garnir généreusement de ganache à l'aide d'une poche à douille, puis fermer avec les coques restantes,
en prenant soin de toujours assembler des coques de même taille.

4. Faire fondre le chocolat au bain-marie ou au micro-ondes. Ajouter l'huile et remuer. Tremper la moitié de chaque macaron
en diagonale dans le chocolat et déposer immédiatement sur une plaque tapissée de papier parchemin. Réserver au froid.

5. Une fois le chocolat durci, ranger les macarons dans un contenant hermétique et réfrigérer au moins 24 heures
pour permettre la maturation. Les sortir 45 à 60 minutes avant le service.

Macaron chocolat et orange

Quantité : 25 petits macarons • Planification : 2 jours à l'avance • Niveau : ●━●━●

Préparation de la ganache (jour 1)

125 ml de jus d'orange frais (le jus de 3 oranges environ)
zeste d'une orange
100 g de chocolat noir à 65 % de cacao en petits morceaux
25 g de beurre doux en petits dés

1. Chauffer le jus et le zeste d'orange sans faire bouillir. Verser sur le chocolat dans un bol et mélanger délicatement jusqu'à homogénéité. Laisser tiédir.

2. Incorporer le beurre. Mélanger, ranger dans un contenant et réserver au froid.

Confection des coques (jour 2)

1. Préparer la pâte à macarons. Peser la pâte et la séparer en deux parties égales. Dans l'une, ajouter 5 g de poudre de cacao 100 % (si une teinte plus foncée est désirée, ajouter également du colorant brun et quelques gouttes de colorant rouge pour donner de l'éclat) et dans l'autre, la quantité nécessaire de colorant orange ou, à défaut, de mélange de colorants rouge et jaune.

2. Préchauffer le four à 150 °C (300 °F).

3. Sur une plaque à pâtisserie tapissée de papier parchemin, dresser des petits ronds d'environ 4,5 cm (1¾ po) de diamètre, en utilisant une poche propre pour chaque couleur. Laisser reposer jusqu'à ce que la surface des coques soit légèrement asséchée.

4. Cuire 12 minutes et laisser refroidir complètement.

Montage (jour 2)

1. Décoller les coques chocolat et les retourner sur une plaque propre.

2. Garnir généreusement de ganache à l'aide d'une poche à douille, puis fermer avec les coques orange, en prenant soin de toujours assembler des coques de même taille.

3. Ranger les macarons dans un contenant hermétique et réfrigérer au moins 24 heures pour permettre la maturation. Les sortir 15 à 30 minutes avant le service.

Macaron citron

Quantité : 25 petits macarons • Planification : 2 jours à l'avance • Niveau : ●●●

Préparation du crémeux (jour 1)

75 ml de jus de citrons (le jus de deux citrons)
zeste d'un citron
35 g de sucre
2 œufs
40 g de beurre doux en petits dés

1. Chauffer le jus de citron avec le zeste et la moitié du sucre.

2. Pendant ce temps, mélanger ensemble le reste du sucre et les œufs.

3. Lorsque le jus de citron bout, verser sur le mélange de sucre et d'œufs. Mélanger et porter à faible ébullition, en remuant constamment pour empêcher la préparation de coller au fond de la casserole. Verser dans un bol et laisser tiédir.

4. Une fois que le mélange est tiède (qu'il ne brûle plus si on y pose le dessus du doigt), bien incorporer le beurre au fouet. Le mélange doit être homogène et onctueux. Mélanger, ranger dans un contenant et réserver au froid.

Confection des coques (jour 2)

1. Préparer la pâte à macarons en ajoutant la quantité nécessaire de colorant jaune pour obtenir une couleur très vive.

2. Préchauffer le four à 150 °C (300 °F).

3. Sur une plaque à pâtisserie tapissée de papier parchemin, dresser des petits ronds d'environ 4,5 cm (1¾ po) de diamètre. Laisser reposer jusqu'à ce que la surface des coques soit légèrement asséchée.

4. Cuire 12 minutes et laisser refroidir complètement.

Montage (jour 2)

1. Décoller la moitié des coques et les retourner sur une plaque propre.

2. Garnir généreusement de crémeux à l'aide d'une poche à douille, puis fermer avec les coques restantes, en prenant soin de toujours assembler des coques de même taille.

3. Ranger les macarons dans un contenant hermétique et réfrigérer au moins 24 heures pour permettre la maturation. Les sortir 15 à 30 minutes avant le service.

Macafleur d'oranger

Quantité : 15 macafleurs moyennes • Planification : 2 jours à l'avance • Niveau : ●●●●●●

Préparation de la ganache (jour 1)

100 ml de crème à 35 % de matière grasse
100 g de chocolat blanc en petits morceaux
40 g de beurre doux en petits dés
20 ml d'eau de fleur d'oranger

1. Faire bouillir la crème. Verser sur le chocolat dans un bol et remuer jusqu'à consistance lisse. Laisser tiédir.

2. Incorporer le beurre et l'eau de fleur d'oranger. Mélanger, ranger dans un contenant et réserver au froid.

Confection des coques (jour 2)

1. Préparer la pâte à macarons sans ajout de colorant.

2. Préchauffer le four à 150 °C (300 °F).

3. Sur une plaque à pâtisserie tapissée de papier parchemin, dresser des « pétales » en forme de losange d'environ 10 cm (4 po) de longueur par 4 cm (1½ po) de largeur au centre. Laisser reposer jusqu'à ce que la surface des coques soit légèrement asséchée.

4. Cuire 15 minutes et laisser refroidir complètement.

Montage (jour 2)

1. Sortir la ganache du réfrigérateur. Monter au batteur électrique à main jusqu'à consistance mousseuse et ferme.

2. Décoller la moitié des coques et les retourner sur une plaque propre.

3. À l'aide d'une poche à douille, garnir d'un généreux cordon de ganache sur la longueur, puis refermer avec les coques restantes, en prenant soin de toujours assembler des coques de même taille.

4. Ranger les macarons dans un contenant hermétique et réfrigérer au moins 24 heures pour permettre la maturation. Les sortir 15 à 30 minutes avant le service.

Macaron framboise

Quantité : 25 petits macarons • Planification : 1 ou 2 jours à l'avance • Niveau : ●●●●

Préparation du confit (jour 1)

200 g de purée de framboises (voir page 39)
50 g de sucre pectiné

1. Mettre la purée de framboises à bouillir.

2. Ajouter le sucre pectiné et laisser frémir 10 minutes en remuant constamment. Ranger dans un contenant.

3. Laisser refroidir et réfrigérer au moins 5 heures.

Confection des coques (jour 1 ou 2)

1. Préparer la pâte à macarons en ajoutant la quantité nécessaire de colorant rouge pour obtenir un beau rose framboise.

2. Préchauffer le four à 150 °C (300 °F).

3. Sur une plaque à pâtisserie tapissée de papier parchemin, dresser des petits ronds d'environ 4,5 cm (1¾ po) de diamètre. Laisser reposer jusqu'à ce que la surface des coques soit légèrement asséchée.

4. Cuire 12 minutes et laisser refroidir complètement.

Montage (jour 1 ou 2)

50 g de chocolat blanc en petits morceaux

1. Faire fondre le chocolat au bain-marie ou au micro-ondes. Garnir un cornet de chocolat fondu et rayer finement toutes les coques. Ranger la plaque au réfrigérateur pour faire durcir le chocolat.

2. Une fois le chocolat bien figé, décoller la moitié des coques et les retourner sur une plaque propre. Prendre garde à la chaleur des mains qui pourrait faire fondre les traits de chocolat et abîmer la décoration.

3. Garnir généreusement de confit à l'aide d'une poche à douille, puis fermer avec les coques restantes, en prenant soin de toujours assembler des coques de même taille.

4. Ranger les macarons dans un contenant hermétique et réfrigérer au moins 24 heures pour permettre la maturation. Les sortir 15 à 30 minutes avant le service.

Macalong noisette

Quantité : 10 macalongs individuels • Planification : 1 jour à l'avance • Niveau : ●●●●

Préparation de la ganache (jour 1)

125 g de chocolat au lait en petits morceaux
50 g de pâte de noisette (voir page 35)
80 ml de crème à 35 % de matière grasse

1. Mettre le chocolat et la pâte de noisette dans un bol.

2. Faire bouillir la crème et verser sur le mélange au chocolat. Remuer jusqu'à consistance lisse.

3. Mélanger, ranger dans un contenant et réserver au froid.

Confection des coques (jour du service)

50 g de noisettes concassées

1. Préparer la pâte à macarons en ajoutant 5 g de poudre de cacao 100 % au mélange de poudre d'amande et de sucre glace. Pour une teinte plus foncée, ajouter également du colorant brun.

2. Préchauffer le four à 150 °C (300 °F).

3. Sur une plaque à pâtisserie tapissée de papier parchemin, dresser des ovales d'environ 13 cm (5 po) de longueur par 4 cm (1½ po) de largeur. Parsemer de noisettes la moitié des coques. Laisser reposer jusqu'à ce que la surface des coques soit légèrement asséchée.

4. Cuire 20 minutes et laisser refroidir complètement.

Montage (jour du service)

1. Une heure avant le garnissage, sortir la ganache du réfrigérateur pour qu'elle reprenne une consistance facile à travailler.

2. Décoller les coques sans noisettes et les retourner sur une plaque propre.

3. Garnir de ganache à l'aide d'une poche à douille cannelée : tracer un enchaînement de rosaces sur la longueur en faisant des mouvements circulaires continus. Placer une coque parsemée de noisettes sur le dessus, en la décalant légèrement en arrière de façon que les rosaces soient bien visibles.

4. Réfrigérer les macarons et les sortir 30 à 45 minutes avant le service.

Remarque : Accompagné d'une boule de crème glacée, ce macaron constitue un vrai goûter gourmand.

Macaron noix de coco

Quantité : 25 petits macarons • Planification : 2 jours à l'avance • Niveau : ⬤

Préparation de la ganache (jour 1)

125 g de chocolat blanc en petits morceaux
25 g de noix de coco râpée
60 ml de lait de coco
40 g de beurre doux en petits dés

1. Mettre le chocolat et la noix de coco dans un bol.

2. Faire bouillir le lait de coco et verser sur le mélange précédent. Remuer délicatement jusqu'à consistance lisse. Laisser tiédir.

3. Incorporer le beurre. Mélanger, ranger dans un contenant et réserver au froid.

Confection des coques (jour 2)

100 g de noix de coco râpée

1. Préparer la pâte à macarons sans ajout de colorant.

2. Préchauffer le four à 150 °C (300 °F).

3. Sur une plaque à pâtisserie tapissée de papier parchemin, dresser des petits ronds d'environ 4,5 cm (1¾ po) de diamètre. Parsemer de noix de coco râpée et laisser reposer jusqu'à ce que la surface des coques soit légèrement asséchée.

4. Cuire 12 minutes et laisser refroidir complètement.

Montage (jour 2)

1. Décoller la moitié des coques et les retourner sur une plaque propre.

2. Garnir généreusement de ganache à l'aide d'une poche à douille, puis fermer avec les coques restantes, en prenant soin de toujours assembler des coques de même taille.

3. Ranger les macarons dans un contenant hermétique et réfrigérer au moins 24 heures pour permettre la maturation. Les sortir 15 à 30 minutes avant le service.

Macaron pistache

Quantité : 25 petits macarons • Planification : 2 jours à l'avance • Niveau : ●●

Préparation de la ganache (jour 1)

125 g de chocolat blanc en petits morceaux
30 g de pâte de pistache (voir page 36)
70 ml de crème à 35 % de matière grasse
25 g de beurre doux en petits dés

1. Mettre le chocolat et la pâte de pistache dans un bol.

2. Faire bouillir la crème et verser sur le mélange précédent. Remuer délicatement jusqu'à consistance lisse. Laisser tiédir.

3. Incorporer le beurre. Mélanger, ranger dans un contenant et réserver au froid.

Confection des coques (jour 2)

50 g de pistaches concassées

1. Préparer la pâte à macarons en ajoutant la quantité nécessaire de colorant vert et une pointe de colorant jaune.

2. Préchauffer le four à 150 °C (300 °F).

3. Sur une plaque à pâtisserie tapissée de papier parchemin, dresser des petits ronds d'environ 4,5 cm (1¾ po) de diamètre. Parsemer de pistaches la moitié des coques. Laisser reposer jusqu'à ce que la surface des coques soit légèrement asséchée.

4. Cuire 12 minutes et laisser refroidir complètement.

Montage (jour 2)

1. Une heure avant le garnissage, sortir la ganache du réfrigérateur pour qu'elle reprenne une consistance facile à travailler.

2. Dans un verre, mélanger une petite quantité de colorant vert avec un bouchon d'alcool blanc, tel que du rhum.
À l'aide d'un pinceau très fin, tracer trois traits sur les coques sans pistaches.

3. Décoller les coques parsemées de pistaches et les retourner sur une plaque propre.

4. Garnir généreusement de ganache à l'aide d'une poche à douille, puis fermer avec les coques décorées au pinceau, en prenant soin de toujours assembler des coques de même taille.

5. Ranger les macarons dans un contenant hermétique et réfrigérer au moins 24 heures pour permettre la maturation. Les sortir 15 à 30 minutes avant le service.

Macaron vanille

Quantité : 25 petits macarons • Planification : 3 jours à l'avance • Niveau : ●●●

Préparation de la ganache (jours 1 et 2)

90 ml de crème à 35 % de matière grasse

1 gousse de vanille fendue

130 g de chocolat blanc en petits morceaux

30 g de beurre doux en petits dés

jour 1

1. Verser la crème dans une casserole et ajouter la gousse de vanille. Porter à ébullition. Retirer du feu, couvrir et laisser refroidir. Faire infuser au moins 24 heures au réfrigérateur pour permettre à la vanille de libérer tous ses arômes.

jour 2

1. Porter le mélange infusé à ébullition. Laisser refroidir. Retirer la gousse de vanille et gratter les graines dans la crème. Porter de nouveau à ébullition, verser sur le chocolat dans un bol et remuer délicatement jusqu'à consistance lisse et homogène. Laisser tiédir.

2. Incorporer le beurre. Mélanger, ranger dans un contenant et réserver au froid.

Confection des coques (jour 3)

graines grattées d'une gousse de vanille

1. Préparer la pâte à macarons en ajoutant les graines de vanille dans les blancs d'œufs.

2. Préchauffer le four à 150 °C (300 °F).

3. Sur une plaque à pâtisserie tapissée de papier parchemin, dresser des petits ronds d'environ 4,5 cm (1¾ po) de diamètre. Laisser reposer jusqu'à ce que la surface des coques soit légèrement asséchée.

4. Cuire 12 minutes et laisser refroidir complètement.

Montage (jour 3)

1. Décoller la moitié des coques et les retourner sur une plaque propre.

2. Garnir généreusement de ganache à l'aide d'une poche à douille, puis fermer avec les coques restantes, en prenant soin de toujours assembler des coques de même taille.

3. Ranger les macarons dans un contenant hermétique et réfrigérer au moins 24 heures pour permettre la maturation. Les sortir 15 à 30 minutes avant le service.

Remarque : Les macarons peuvent servir de support original pour transmettre un message. Dans un verre, mélangez une petite quantité de colorant de votre choix avec un bouchon d'alcool blanc, tel que du rhum. À l'aide d'un pinceau très fin, écrivez une lettre sur chaque macaron et laissez sécher. Sinon, trempez des tampons dans la préparation colorée et apposez sur la coque. L'écriture peut se faire avant le garnissage ou une fois que le macaron a figé au réfrigérateur. Présentez votre message au gré de votre imagination.

Macarons saisonniers, le défi des chefs

Nous avons concocté un calendrier de macarons en hommage à la nature qui, au fil des saisons, nous fait bénéficier de sa grande générosité. Votre défi, si vous le relevez, consistera à confectionner le macaron du mois, en plus de tous ceux qui vous feront craquer. Profitez de l'occasion pour organiser des activités en famille ou entre amis : sortie à la cabane à sucre, cueillette au verger, visite d'un salon culinaire… Vous pourrez rentrer chez vous avec l'ingrédient de base de la recette et poursuivre la journée dans la convivialité de votre cuisine. Beaux souvenirs et bonne année gourmande !

Janvier : Macaron marbré chocolat et banane

Quantité : 10 petits macarons • Planification : 2 jours à l'avance • Niveau : ●●●●

Préparation de la ganache (jour 1)

Nous recommandons l'utilisation de mini-bananes, les bananes figues, qui sont de plus en plus courantes dans les épiceries.

50 g de bananes
75 g de chocolat noir à 65 % de cacao en petits morceaux
125 ml de crème à 35 % de matière grasse
5 g de beurre doux en petits dés (facultatif)

1. Préparer la purée de bananes : écraser grossièrement la pulpe à la fourchette, de façon qu'il en reste de petits morceaux. Mettre la purée dans un bol avec le chocolat.

2. Faire bouillir la crème dans une casserole. Verser sur le mélange précédent. Remuer jusqu'à homogénéité et incorporer le beurre.

3. Ranger dans un contenant et réserver au froid.

Confection des coques (jour 2)

1. Préparer la pâte à macarons. Peser la pâte et la séparer en deux parties égales. Dans l'une, ajouter 5 g de poudre de cacao 100 % (si une teinte plus foncée est désirée, ajouter également du colorant brun et quelques gouttes de colorant rouge pour donner de l'éclat) et dans l'autre, la quantité nécessaire de colorant jaune.

2. Préchauffer le four à 150 °C (300 °F).

3. Verser chacune des préparations dans une poche sans douille (le bout doit être entaillé de la même grandeur), puis placer les deux poches dans une poche à douille. Sur une plaque à pâtisserie tapissée de papier parchemin, dresser des gros ronds d'environ 7,5 cm (3 po) de diamètre. Laisser reposer jusqu'à ce que la surface des coques soit légèrement asséchée.

4. Cuire 20 minutes et laisser refroidir complètement.

Montage (jour 2)

1. Une heure avant le garnissage, sortir la ganache du réfrigérateur pour qu'elle reprenne une consistance facile à travailler.

2. Décoller la moitié des coques et les retourner sur une plaque propre.

3. Garnir généreusement de ganache à l'aide d'une poche à douille, puis fermer avec les coques restantes, en prenant soin de toujours assembler des coques de même taille.

4. Ranger les macarons dans un contenant hermétique et réfrigérer au moins 24 heures pour permettre la maturation. En raison de leur grosseur, les sortir 45 à 60 minutes avant le service.

Février : Macacœur à la rose

Quantité : 25 petits macarons • Planification : 2 ou 3 jours à l'avance (selon la méthode choisie) • Niveau : ●●●

Préparation de la ganache (jour 1 ou jours 1 et 2)
Deux méthodes sont possibles, l'une faisant appel à une essence naturelle de rose et l'autre, à des pétales de rose comestibles.

110 ml de crème à 35 % de matière grasse
40 g beurre doux en petits dés

105 g de chocolat blanc en petits morceaux
1 g d'essence de rose ou 8 pétales de rose comestibles

Avec l'essence de rose (jour 1)
1. Faire bouillir la crème dans une casserole. Verser sur le chocolat dans un bol et remuer jusqu'à homogénéité. Laisser tiédir.

2. Incorporer le beurre. Mélanger et laisser refroidir.

3. Ajouter l'essence de rose, ranger dans un contenant et réserver au froid.

Avec les pétales de rose comestibles (jour 1)
Cette méthode nécessite beaucoup plus de temps que la précédente. L'infusion doit durer 24 heures.

Jour 1
1. Faire bouillir la crème dans une casserole. Ajouter les pétales ciselés finement, couvrir et laisser infuser 2 heures.
Porter de nouveau à ébullition. Laisser refroidir et réfrigérer 24 heures.

Jour 2
1. Faire bouillir le mélange infusé. Verser sur le chocolat dans un bol à travers une grande passoire.
Remuer jusqu'à consistance homogène. Laisser tiédir.

2. Incorporer le beurre. Mélanger, ranger dans un contenant et réserver au froid.

Confection des coques (jour 2 ou 3)
1. Préparer la pâte à macarons en ajoutant du colorant rose avec parcimonie.

2. Préchauffer le four à 150 °C (300 °F).

3. Sur une plaque à pâtisserie tapissée de papier parchemin, dresser des petits cœurs d'environ 5 cm (2 po) de pourtour.
Laisser reposer jusqu'à ce que la surface des coques soit légèrement asséchée.

4. Cuire 12 minutes et laisser refroidir complètement.

Montage (jour 2 ou 3)
1. Sortir la ganache du réfrigérateur. Monter au batteur électrique à main jusqu'à consistance mousseuse et ferme.

2. Décoller la moitié des coques et les retourner sur une plaque propre.

3. Garnir généreusement de ganache à l'aide d'une poche à douille, puis fermer avec les coques restantes,
en prenant soin de toujours assembler des coques de même taille.

4. Ranger les macarons dans un contenant hermétique et réfrigérer au moins 24 heures pour permettre la maturation.
Les sortir 15 à 30 minutes avant le service.

Mars : Macaron chantilly et sucre à la crème

Quantité : 15 petits macarons • Planification : 1 jour à l'avance ou le jour même • Niveau : ●●●

Préparation du sucre à la crème (jour 1 ou le matin du service)

100 g de cassonade
100 g de sucre
200 ml de crème à 35 % de matière grasse

100 g de beurre doux en petits dés
graines grattées d'une gousse de vanille (facultatif)

1. Mettre tous les ingrédients dans une casserole. Placer la sonde du thermomètre dans le mélange. Porter à ébullition et cuire jusqu'à 115 °C (239 °F).

2. Mélanger à la spatule 3 minutes ou jusqu'à ce que la préparation ait légèrement épaissi.

3. Couler à plat dans un récipient et réserver au froid.

Confection des coques (jour du service)

1. Préparer la pâte à macarons en ajoutant la quantité nécessaire de colorant brun et une pointe de colorant jaune.

2. Préchauffer le four à 150 °C (300 °F).

3. Sur deux plaques à pâtisserie tapissées de papier parchemin, dresser la pâte en nombre égal de ronds moyens d'environ 6,5 cm (2½ po) de diamètre et de petits ronds de 4,5 cm (1¾ po) de diamètre. Laisser reposer jusqu'à ce que la surface des coques soit légèrement asséchée.

4. Cuire les coques moyennes 15 minutes et les petites, 12 minutes. Laisser refroidir complètement.

Préparation de la chantilly (jour du service)

250 ml de crème à 35 % de matière grasse
graines grattées d'une gousse de vanille

20 g de sucre

1. Mettre la crème dans un bol en inox ou en verre le plus froid possible. Ajouter le sucre et les graines de vanille, et faire monter au fouet ou au batteur/mélangeur jusqu'à l'obtention d'une crème fouettée ferme.

Montage (jour du service)

50 g de sucre glace

1. Décoller et retourner les coques moyennes sur un plat de service ou sur des assiettes à dessert individuelles. Garnir de chantilly à l'aide d'une poche à douille cannelée : dresser une rosace en hauteur, en laissant 1,25 cm (½ po) de pourtour sans crème. Placer une petite coque au sommet de la rosace et réfrigérer.

2. Avant le service, découper le sucre à la crème en petits dés et disposer tout autour de la rosace de chantilly. Saupoudrer les couvercles de sucre glace. Pour la finition, découper un plus gros morceau de sucre à la crème et déposer sur chaque couvercle. Servir immédiatement.

Remarque : Le sucre à la crème restant peut être conservé dans un contenant hermétique et être savouré plus tard.

Avril : Macalong tire d'érable et pamplemousse

C'est le temps de se sucrer le bec !

Quantité : 18 macalongs moyens • Planification : le jour même • Niveau : ●●●

Préparation de la tire d'érable

250 g de sirop d'érable brun

1. Verser le sirop d'érable dans une casserole, placer la sonde du thermomètre et porter à 114 °C (237,2 °F).

2. Ranger dans un petit contenant et réfrigérer.

Confection des coques

50 g de pépites d'érable

1. Préparer la pâte à macarons en ajoutant la quantité nécessaire de colorant rose pour obtenir un rose saumon pâle.

2. Préchauffer le four à 150 °C (300 °F).

3. Sur une plaque à pâtisserie tapissée de papier parchemin, dresser des ovales d'environ 7,5 cm (3 po) de longueur par 3 cm (1¼ po) de largeur. Parsemer de pépites d'érable. Laisser reposer jusqu'à ce que la surface des coques soit légèrement asséchée.

4. Cuire 15 minutes et laisser refroidir complètement.

Montage

2 pamplemousses
Tire d'érable

1. Peler les pamplemousses et découper des segments bien nets, en éliminant toute la peau blanche.

2. Décoller la moitié des coques et les retourner sur un plat de service. Déposer un segment de pamplemousse sur chacune d'elles.

3. Verser une petite quantité de tire d'érable sur chaque segment de pamplemousse. Placer une coque sur le dessus, en la décalant légèrement en arrière de façon que la garniture soit bien visible.

4. Servir immédiatement ou déguster givré pour fondre de plaisir ! (Dix minutes après la sortie du congélateur.)

Mai : Macaron cerise

Quantité : 25 petits macarons • Planification : 1 ou 2 jours à l'avance • Niveau : ⬤

Préparation du confit (jour 1)

L'utilisation de plusieurs variétés de cerises combinées donnera une grande richesse de saveurs.

250 g de cerises dénoyautées
50 g de sucre pectiné
5 ml de jus de citron

1. Chauffer les cerises jusqu'à ce qu'elles ramollissent. Réduire en purée à l'aide du mélangeur à main, remettre à bouillir et ajouter le sucre pectiné. Laisser frémir environ 10 minutes en remuant constamment. Ajouter le jus de citron. Ranger dans un contenant.

2. Laisser refroidir et réfrigérer au moins 5 heures.

Confection des coques (jour 1 ou 2)

1. Préparer la pâte à macarons en ajoutant la quantité nécessaire de colorant rouge et une pointe de colorant bleu, pour obtenir un bordeaux assez soutenu.

2. Préchauffer le four à 150 °C (300 °F).

3. Sur une plaque à pâtisserie tapissée de papier parchemin, dresser des petits ronds d'environ 4,5 cm (1¾ po) de diamètre. Laisser reposer jusqu'à ce que la surface des coques soit légèrement asséchée.

4. Cuire 12 minutes et laisser refroidir complètement.

Montage (jour 1 ou 2)

1. Décoller la moitié des coques et les retourner sur une plaque propre.

2. Garnir généreusement de confit à l'aide d'une poche à douille, puis fermer avec les coques restantes, en prenant soin de toujours assembler des coques de même taille.

3. Ranger les macarons dans un contenant hermétique et réfrigérer au moins 24 heures pour permettre la maturation. Les sortir 15 à 30 minutes avant le service.

Juin : Macaron abricot et épices

Quantité : 25 petits macarons • Planification : 1 jour à l'avance ou le jour même • Niveau : ●●

Préparation de la compotée (jour 1 ou matin du service)

200 g de purée d'abricots (voir page 39)
20 g de raisins secs
20 g d'abricots secs hachés finement
graines grattées d'une demi-gousse de vanille

1 pincée de cannelle moulue
5 graines de cardamome broyées ou 1 g de cardamome en poudre
50 g de sucre pectiné

1. Mettre tous les ingrédients, sauf le sucre pectiné, dans une casserole et porter à ébullition.

2. Couvrir et laisser reposer au moins 1 heure à température ambiante.

3. Porter de nouveau à ébullition, ajouter le sucre pectiné et laisser frémir 10 minutes en remuant constamment. Ranger dans un contenant.

4. Laisser refroidir et réfrigérer au moins 5 heures.

Confection des coques (jour du service)

25 g de cannelle en poudre

1. Préparer la pâte à macarons en ajoutant la quantité nécessaire de colorant orange ou, à défaut, de mélange de colorants rouge et jaune.

2. Préchauffer le four à 150 °C (300 °F).

3. Sur une plaque à pâtisserie tapissée de papier parchemin, dresser des petits ronds d'environ 4,5 cm (1¾ po) de diamètre. Laisser reposer jusqu'à ce que la surface des coques soit légèrement asséchée.

4. Saupoudrer la moitié des coques de cannelle en forme de demi-lune.

5. Cuire 12 minutes et laisser refroidir complètement.

Montage (quelques heures au plus avant le service)

1. Sortir la compotée du réfrigérateur et mélanger très légèrement à la spatule pour lui donner une consistance facile à travailler.

2. Décoller les coques sans cannelle et les retourner sur une plaque propre.

3. Garnir généreusement de compotée à l'aide d'une poche à douille, puis fermer avec les coques saupoudrées de cannelle, sans appuyer, en prenant soin de toujours assembler des coques de même taille. La compotée doit rester apparente.

4. Servir immédiatement ou réfrigérer et sortir les macarons environ 15 minutes avant le service.

Remarque : Ce macaron est encore plus exquis lorsqu'il est accompagné d'une crème glacée au lait d'amande ou autre saveur.

Juillet : Macovale mangue et poivre

Quantité : 25 petits macarons • Planification : 1 ou 2 jours à l'avance • Niveau : ●●●

Préparation du confit (jour 1)

200 g de purée de mangues (voir page 39)
poivre vert du moulin, au goût
50 g de sucre pectiné

1. Mettre la purée de mangues à bouillir avec le poivre vert.

2. Ajouter le sucre pectiné et laisser frémir 10 minutes en remuant constamment. Ranger dans un contenant.

3. Laisser refroidir et réfrigérer au moins 5 heures.

Confection des coques (jour 1 ou 2)

5 g de poivre vert du moulin

1. Préparer la pâte à macarons en ajoutant la quantité nécessaire de colorant jaune et une pointe de colorant rouge.

2. Préchauffer le four à 150 °C (300 °F).

3. Sur une plaque à pâtisserie tapissée de papier parchemin, dresser des ovales d'environ 6 cm (2¼ po) de longueur par 3 cm (1¼ po) de largeur. Parsemer de poivre vert. Laisser reposer jusqu'à ce que la surface des coques soit légèrement asséchée.

4. Cuire 12 minutes et laisser refroidir complètement.

Montage (jour 1 ou 2)

1. Décoller la moitié des coques et les retourner sur une plaque propre.

2. Garnir généreusement de confit à l'aide d'une poche à douille, puis fermer avec les coques restantes, en prenant soin de toujours assembler des coques de même taille.

3. Ranger les macarons dans un contenant hermétique et réfrigérer au moins 24 heures pour permettre la maturation. Les sortir 15 à 30 minutes avant le service.

Août : Macalong lavande

Quantité : 18 macalongs moyens • Planification : 2 jours à l'avance • Niveau : ⬤⬤⬤⬤

Préparation de la ganache (jour 1)

105 ml de crème à 35 % de matière grasse
2 g de lavande culinaire
100 g de chocolat blanc en petits morceaux
40 g de beurre doux en petits dés

1. Mettre la crème à chauffer sans faire bouillir. Infuser la lavande 15 minutes dans la crème chaude à l'aide d'un infuseur. Retirer la lavande et porter la crème à ébullition. Verser sur le chocolat dans un bol et remuer jusqu'à homogénéité. Laisser tiédir.

2. Incorporer le beurre. Mélanger, ranger dans un contenant et réserver au froid.

Confection des coques (jour 2)

18 brins de lavande séchée entiers

1. Préparer la pâte à macarons en ajoutant du colorant violet avec parcimonie ou, à défaut, un mélange de colorants rouge et bleu.

2. Préchauffer le four à 150 °C (300 °F).

3. Sur une plaque à pâtisserie tapissée de papier parchemin, dresser des ovales d'environ 7,5 cm (3 po) de longueur par 3 cm (1¼ po) de largeur. Sur la moitié des coques, déposer un brin de lavande dans le sens de la longueur, sans trop enfoncer. Laisser reposer jusqu'à ce que la surface des coques soit légèrement asséchée.

4. Cuire 15 minutes et laisser refroidir complètement.

Montage (jour 2)

1. Sortir la ganache du réfrigérateur. Monter au batteur électrique à main jusqu'à consistance mousseuse et ferme.

2. Décoller les coques sans brin de lavande et les retourner sur une plaque propre.

3. Garnir de ganache à l'aide d'une poche à douille, en formant un cordon régulier sur la longueur, puis fermer avec les coques décorées d'un brin de lavande. Prendre soin de toujours assembler des coques de même taille.

4. Ranger les macarons dans un contenant hermétique et réfrigérer au moins 24 heures pour permettre la maturation. Sortir les macarons 30 à 45 minutes avant le service.

Remarque : Il est préférable de retirer le brin de lavande avant de déguster pour éviter un goût trop prononcé. Il sert surtout de décoration.

Septembre : Macaron pomme et caramel façon tatin

Quantité : 10 macarons • Planification : 1 jour à l'avance • Niveau : ●●●●

Préparation de la garniture (jour 1)

7 à 8 pommes à cuire
graines grattées d'une gousse de vanille

150 g de sucre
100 g de beurre doux en petits dés

1. Éplucher les pommes, retirer le cœur et couper chacune en 8 quartiers.

2. Faire un caramel à sec : chauffer une poêle, verser le sucre et laisser fondre en remuant jusqu'à l'obtention d'un caramel clair. Ajouter les quartiers de pomme et les graines de vanille. Remuer jusqu'à ce que les pommes prennent une belle couleur caramel. Retirer du feu.

3. Ajouter le beurre et laisser fondre. Mélanger, transférer dans un contenant hermétique et réserver au froid.

Préparation du coulis d'accompagnement (jour 1)

65 ml d'eau
85 g de sucre
graines grattées d'une demi-gousse de vanille

jus d'une orange
50 g de sucre
20 g de beurre doux en petits dés
jus d'un demi-citron

1. Préparer un sirop de sucre : dans une casserole, faire bouillir l'eau avec 85 g de sucre et les graines de vanille.

2. Chauffer le jus d'orange.

3. Faire un caramel à sec : chauffer une casserole, verser 50 g de sucre et laisser fondre en remuant jusqu'à l'obtention d'un caramel clair. Incorporer le beurre, puis le jus d'orange chaud. Ajouter le sirop et le jus de citron. Ranger dans un contenant et réserver au froid.

Confection des coques (jour du service)

1. Préparer la pâte à macarons en ajoutant la quantité nécessaire de colorants brun et jaune, à parts égales, pour obtenir une belle couleur caramel.

2. Préchauffer le four à 150 °C (300 °F).

3. Sur une plaque à pâtisserie tapissée de papier parchemin, dresser des gros ronds d'environ 7,5 cm (3 po) de diamètre. Laisser reposer jusqu'à ce que la surface des coques soit légèrement asséchée.

4. Cuire 20 minutes et laisser refroidir complètement.

Montage (quelques heures avant le service)

1. Décoller la moitié des coques et les retourner sur un plat de service ou des assiettes à dessert individuelles.

2. Dans un cercle d'environ 7,5 cm (3 po) de diamètre par 4 cm (1½ po) de hauteur, disposer 5 ou 6 quartiers de pomme en forme de rosace à partir du fond. Monter progressivement et lisser la surface à l'aide d'une spatule plate. Retourner ce montage de pommes sur une coque et répéter l'opération pour les 9 autres.

3. Si le service ne se fait pas immédiatement, réfrigérer les coques garnies et les sortir environ 30 minutes avant la dégustation. Pour servir, placer une coque en équilibre sur chacun des desserts et accompagner de coulis caramel.

Octobre : Macaron citrouille

Quantité : 12 moyens macarons • Planification : 1 ou 2 jours à l'avance • Niveau : ●●●●

Préparation de la garniture (jour 1)

1/2 courge musquée (butternut)
sel et poivre
1 clou de girofle
1 pincée de noix de muscade en poudre
40 ml de crème à 35 % de matière grasse
40 g de beurre doux en petits dés

1. Faire une purée de courges : retirer les pépins, saler et poivrer la 1/2 courge, couvrir de papier d'aluminium et cuire au four 20 minutes à 200 °C (400 °F). Laisser refroidir, récupérer la chair et mélanger.

2. Dans une casserole, chauffer la purée, le clou de girofle et la muscade, en rectifiant l'assaisonnement au besoin. Retirer du feu et ajouter la crème.

3. Mélanger, ranger dans un contenant et réserver au froid.

Confection des coques (jour 1 ou 2)

1. Préparer la pâte à macarons en ajoutant la quantité nécessaire de colorant orange ou, à défaut, de mélange de colorants rouge et jaune.

2. Préchauffer le four à 150 °C (300 °F).

3. Sur une plaque à pâtisserie tapissée de papier parchemin, dresser des ronds moyens d'environ 6,5 cm (2½ po) de diamètre. Laisser reposer jusqu'à ce que la surface des coques soit légèrement asséchée.

4. Cuire 15 minutes et laisser refroidir complètement.

Montage (jour 1 ou 2)

1. Une heure avant le garnissage, sortir la ganache du réfrigérateur pour qu'elle reprenne une consistance facile à travailler.

2. Décoller la moitié des coques et les retourner sur une plaque propre.

3. Garnir de ganache : couvrir le pourtour de la coque d'un collier de petites boules de ganache, puis déposer une boule au centre. Fermer avec les coques restantes, sans appuyer, en prenant soin de toujours assembler des coques de même taille.

4. Ranger délicatement les macarons dans un contenant hermétique et réfrigérer au moins 24 heures pour permettre la maturation. Les sortir 30 à 45 minutes avant le service.

Novembre : Macapointe au thé earl grey

Quantité : 10 macapointes individuelles • Planification : 2 jours à l'avance • Niveau : ●●●●●

Préparation de la ganache (jour 1)

130 ml de crème à 35 % de matière grasse
3 g de thé earl grey
100 g de chocolat noir à 65 % de cacao en petits morceaux
15 g de beurre doux en petits dés

1. Mettre la crème à chauffer sans laisser bouillir. Infuser le thé 15 minutes dans la crème chaude à l'aide d'un infuseur. Retirer le thé et porter la crème à ébullition. Verser sur le chocolat dans un bol et remuer jusqu'à homogénéité.

2. Incorporer le beurre. Mélanger, ranger dans un contenant et réserver au froid.

Confection des coques (jour 2)

25 g de thé earl grey

1. Préchauffer le four à 200 °C (400 °F). Mettre le thé à sécher 5 à 10 minutes sur une plaque à pâtisserie tapissée de papier parchemin. Mélanger finement à la sortie du four.

2. Baisser le four à 150 °C (300 °F).

3. Préparer la pâte à macarons sans ajout de colorant.

4. Sur une plaque à pâtisserie tapissée de papier parchemin, dresser des triangles d'environ 5 cm (2 po) de base par 13 cm (5 po) de hauteur. Parsemer de thé la moitié des coques. Laisser reposer jusqu'à ce que la surface des coques soit légèrement asséchée.

5. Cuire 20 minutes et laisser refroidir complètement.

Montage (jour 2)

1. Une heure avant le garnissage, sortir la ganache du réfrigérateur pour qu'elle reprenne une consistance facile à travailler.

2. Décoller les coques sans thé et les retourner sur une plaque propre.

3. Garnir généreusement de ganache à l'aide d'une poche à douille, puis fermer avec les coques parsemées de thé, en prenant soin de toujours assembler des coques de même taille.

4. Ranger les macarons dans un contenant hermétique et réfrigérer au moins 24 heures pour permettre la maturation. En raison de leur grosseur, les sortir 45 à 60 minutes avant le service.

Décembre : Macaron marron

Quantité : 25 petits macarons • Planification : 2 jours à l'avance • Niveau : ⬬

Préparation de la ganache (jour 1)

45 g de purée de marrons (voir page 39)
110 g de chocolat blanc en petits morceaux
75 ml de crème à 35 % de matière grasse
20 g de beurre doux en petits dés

1. Mettre la purée de marrons et le chocolat dans un bol.

2. Faire bouillir la crème. Verser sur le mélange précédent, et mélanger jusqu'à homogénéité. Laisser tiédir.

3. Ajouter le beurre, mélanger, ranger dans un contenant et réserver au froid.

Confection des coques (jour 2)

1. Préparer la pâte à macarons en ajoutant la quantité nécessaire de colorant brun clair.

2. Préchauffer le four à 150 °C (300 °F).

3. Sur une plaque à pâtisserie tapissée de papier parchemin, dresser des petits ronds d'environ 4,5 cm (1¾ po) de diamètre. Laisser reposer jusqu'à ce que la surface des coques soit légèrement asséchée.

4. Cuire 12 minutes et laisser refroidir complètement.

Montage (jour 2)

1. Sortir la ganache du réfrigérateur. Monter au batteur électrique à main jusqu'à consistance mousseuse et ferme.

2. Décoller la moitié des coques et les retourner sur une plaque propre.

3. Garnir généreusement de ganache à l'aide d'une poche à douille, puis fermer avec les coques restantes, en prenant soin de toujours assembler des coques de même taille.

4. Ranger les macarons dans un contenant hermétique et réfrigérer au moins 24 heures pour permettre la maturation. Les sortir 15 à 30 minutes avant le service.

du Québec

Macarons du Québec

Souhaitant devenir les ambassadeurs du macaron au Québec, nous avons bien sûr pensé à décliner les saveurs mettant en valeur les produits du terroir québécois. Voici donc de nouvelles occasions de balades en campagne, de découvertes et de rencontres réconfortantes avec des artisans régionaux.

Macaron aux bleuets du Lac-Saint-Jean

Quantité : 25 petits macarons • Planification : 1 ou 2 jours à l'avance • Niveau : ⬬

Préparation du confit (jour 1)

200 g de purée de bleuets (voir page 39)
50 g de sucre pectiné

1. Mettre la purée de bleuets à bouillir.

2. Ajouter le sucre pectiné et laisser frémir 10 minutes en remuant constamment. Ranger dans un contenant.

3. Laisser refroidir et réfrigérer au moins 5 heures.

Confection des coques (jour 1 ou 2)

1. Préparer la pâte à macarons en ajoutant la quantité nécessaire de colorant bleu et une pointe de colorant rouge, pour obtenir un beau bleu nuit.

2. Préchauffer le four à 150 °C (300 °F).

3. Sur une plaque à pâtisserie tapissée de papier parchemin, dresser des petits ronds d'environ 4,5 cm (1¾ po) de diamètre. Laisser reposer jusqu'à ce que la surface des coques soit légèrement asséchée.

4. Cuire 12 minutes et laisser refroidir complètement.

Montage (jour 1 ou 2)

1. Décoller la moitié des coques et les retourner sur une plaque propre.

2. Garnir généreusement de confit à l'aide d'une poche à douille, puis fermer avec les coques restantes, en prenant soin de toujours assembler des coques de même taille.

3. Ranger les macarons dans un contenant hermétique et réfrigérer au moins 24 heures pour permettre la maturation. Les sortir 15 à 30 minutes avant le service.

Macovale aux canneberges

Quantité : 25 petits macovales • Planification : 1 ou 2 jours à l'avance • Niveau : ●●

Préparation du confit (jour 1)

150 g de canneberges fraîches
50 g de sucre pectiné
50 g de canneberges séchées coupées en tout petits dés

1. Laver et équeuter les canneberges fraîches. Les chauffer avec le sucre jusqu'à ce qu'elles ramollissent. Réduire en purée à l'aide du mélangeur à main. Mélanger, remettre à bouillir et ajouter le sucre pectiné. Laisser frémir environ 10 minutes en remuant constamment.

2. Ajouter les canneberges séchées à la purée et mélanger. Ranger dans un contenant.

3. Laisser refroidir et réfrigérer au moins 5 heures.

Confection des coques (jour 1 ou 2)

1. Préparer la pâte à macarons en ajoutant la quantité nécessaire de colorant rouge et une pointe de colorant bleu, pour obtenir un bordeaux assez soutenu.

2. Préchauffer le four à 150 °C (300 °F).

3. Sur une plaque à pâtisserie tapissée de papier parchemin, dresser des ovales d'environ 5 cm (2 po) de longueur par 4 cm (1½ po) de largeur. Laisser reposer jusqu'à ce que la surface des coques soit légèrement asséchée.

4. Cuire 12 minutes et laisser refroidir complètement.

Montage (jour 1 ou 2)

1. Décoller la moitié des coques et les retourner sur une plaque propre.

2. Garnir généreusement de confit à l'aide d'une poche à douille, puis fermer avec les coques restantes, en prenant soin de toujours assembler des coques de même taille.

3. Ranger les macarons dans un contenant hermétique et réfrigérer au moins 24 heures pour permettre la maturation. Les sortir 15 à 30 minutes avant le service.

Macarré au cidre de glace

Quantité : 25 petits macarrés • Planification : 2 jours à l'avance • Niveau : ●●●

Préparation de la ganache (jour 1)

100 ml de crème à 35 % de matière grasse
95 g de chocolat blanc en petits morceaux
20 g de beurre doux en petits dés
30 ml de cidre de glace

1. Faire bouillir la crème. Verser sur le chocolat dans un bol et remuer jusqu'à homogénéité. Laisser tiédir.

2. Incorporer le beurre et le cidre de glace. Mélanger, ranger dans un contenant et réserver au froid.

Confection des coques (jour 2)

1. Préparer la pâte à macarons sans ajout de colorant.

2. Préchauffer le four à 150 °C (300 °F).

3. Sur une plaque à pâtisserie tapissée de papier parchemin, dresser des petits carrés d'environ 4 cm (1½ po) de côté. Laisser reposer jusqu'à ce que la surface des coques soit légèrement asséchée.

4. Cuire 12 minutes et laisser refroidir complètement.

Montage (jour 2)

1. Sortir la ganache du réfrigérateur et faire monter au batteur à main électrique jusqu'à consistance mousseuse et ferme.

2. Décoller la moitié des coques et les retourner sur une plaque propre.

3. Garnir généreusement de ganache à l'aide d'une poche à douille, puis fermer avec les coques restantes, en prenant soin de toujours assembler des coques de même taille.

4. Ranger les macarons dans un contenant hermétique et réfrigérer au moins 24 heures pour permettre la maturation. Les sortir 15 à 30 minutes avant le service.

Suçon macaron à l'érable

Ce macaron raffiné contient l'un des produits les plus caractéristiques du Québec. Comment lui résister ?

Quantité : 25 petits macarons • Planification : 2 jours à l'avance • Niveau : ●●●●

Préparation de la crème au beurre (jour 1)

2 œufs
100 ml de sirop d'érable

140 g de beurre doux en petits dés

1. Faire une crème au beurre : chauffer le sirop d'érable dans une casserole. Placer la sonde du thermomètre dans le sirop et régler l'alarme à 121°C (250 °F). Lorsque le sirop commence à bouillir, commencer à battre les œufs au mélangeur électrique à main pour les blanchir. Une fois le sirop à la température requise, retirer du feu et verser en filet sur les œufs blanchis sans cesser de battre.

2. Continuer à monter le mélange à vitesse moyenne jusqu'à ce qu'il ait tiédi. Le batteur toujours en marche, ajouter le beurre et mélanger jusqu'à homogénéité.

3. Ranger dans un contenant et réserver au froid.

Confection des coques (jour 2)

1. Préparer la pâte à macarons en ajoutant du colorant brun clair avec parcimonie.

2. Préchauffer le four à 150 °C (300 °F).

3. Sur une plaque à pâtisserie tapissée de papier parchemin, dresser des petits ronds d'environ 4,5 cm (1¾ po) de diamètre. Laisser reposer jusqu'à ce que la surface des coques soit légèrement asséchée.

4. Cuire 12 minutes et laisser refroidir complètement.

Garnissage (jour 2)

25 bâtonnets à suçon arrondis

1. Une heure avant le garnissage, sortir la crème au beurre du réfrigérateur pour qu'elle reprenne une consistance facile à travailler.

2. Décoller la moitié des coques et les retourner sur une plaque propre.

3. Garnir généreusement de crème au beurre à l'aide d'une poche à douille, puis fermer avec les coques restantes, en prenant soin de toujours assembler des coques de même taille. Piquer chaque macarons sur un bâtonnet.

4. Ranger les macarons dans un contenant hermétique et réfrigérer au moins 24 heures pour permettre la maturation.

Montage (jour du service)

100 g de chocolat blanc à l'érable

1. Mettre le chocolat à fondre au bain-marie ou au micro-ondes. Tremper la moitié de chaque macaron en diagonale dans le chocolat et réfrigérer (utiliser un support de styromousse, par exemple, pour garder les suçons en position verticale). Les sortir 15 à 30 minutes avant le service.

Macalong aux fraises du Québec

Quantité : 10 macalongs individuels • Planification : 1 jour à l'avance ou le jour même • Niveau : ●●●●○

Préparation du confit (jour 1 ou matin du service)

200 g de purée de fraises (voir page 39)
50 g de sucre pectiné

1. Mettre la purée de fraises à bouillir.

2. Ajouter le sucre pectiné et laisser frémir 10 minutes en remuant constamment. Ranger dans un contenant.

3. Laisser refroidir et réfrigérer au moins 5 heures.

Confection des coques (jour du service)

25 g de sucre décor rouge

1. Préparer la pâte à macarons. Peser la pâte et la séparer en deux parties égales.
Ajouter dans l'une la quantité nécessaire de colorant rouge pour obtenir une couleur vive et laisser l'autre blanche.

2. Préchauffer le four à 150 °C (300 °F).

3. Sur une plaque à pâtisserie tapissée de papier parchemin, dresser des rectangles d'environ 13 cm (5 po) de longueur par 4 cm (1½ po) de largeur, en utilisant une poche propre pour chaque couleur. Parsemer légèrement les coques blanches de sucre décor. Laisser reposer jusqu'à ce que la surface des coques soit légèrement asséchée.

4. Cuire 20 minutes et laisser refroidir complètement.

Montage (jour du service)

1 casseau de fraises fraîches du Québec

1. Décoller les coques rouges et les retourner sur une plaque propre.

2. Garnir de confit à l'aide d'une poche à douille, en formant un cordon régulier sur la longueur.

3. Laver, équeuter et découper les fraises en fines lamelles dans le sens de la hauteur. Disposer les lamelles harmonieusement sur le confit. Placer les coques blanches ornées de sucre décor, en les décalant légèrement en arrière de façon que les fraises soient visibles.

4. Servir immédiatement ou réfrigérer et sortir les macarons 45 à 60 minutes avant le service, en raison de leur grosseur.

Remarque : Ce dessert est encore plus délectable lorsqu'il est servi avec une boule de crème glacée à la vanille ou une rosace de crème chantilly maison.

Macaron marbré aux pommes et au cidre du Québec sur brochette

Quantité : 8 brochettes de petits macarons • Planification : 1 jour à l'avance ou le même jour • Niveau : ●●●

Préparation de la compotée (jour 1 ou jour du service)

1 pomme McIntosh
1 pomme Spartan
30 g de beurre doux
15 cl de cidre brut

1. Éplucher les pommes, couper en 2 et retirer le cœur.

2. Disposer les pommes sur une plaque à pâtisserie et garnir chaque moitié d'une noix de beurre.

3. Cuire au four à 180 °C (350 °F) pendant 20 minutes. À la sortie du four, arroser de cidre chaque moitié de pomme. Ranger dans un contenant hermétique et réfrigérer.

Confection des coques (jour du service)

1. Préparer la pâte à macarons. Peser la pâte et la séparer en deux parties égales. Dans l'une, ajouter la quantité nécessaire de colorant rouge pour obtenir une couleur vive et dans l'autre, du colorant vert avec parcimonie.

2. Préchauffer le four à 150 °C (300 °F).

3. Verser chacune des préparations dans une poche sans douille (le bout doit être entaillé de la même grandeur), puis placer les deux poches dans une poche à douille. Sur une plaque à pâtisserie tapissée de papier parchemin, dresser des petits ronds d'environ 4,5 cm (1¾ po) de diamètre. Laisser reposer jusqu'à ce que la surface des coques soit légèrement asséchée.

4. Cuire 12 minutes et laisser refroidir complètement.

Montage (jour du service)

8 brochettes

1. Décoller la moitié des coques et les retourner sur une plaque propre.

2. Sortir la compotée du réfrigérateur. À l'aide d'une mini cuillère à glace, déposer une boule de compotée sur chaque coque. Fermer avec les coques restantes, sans appuyer, en prenant soin de toujours assembler des coques de même taille.

3. Ranger les macarons dans un contenant hermétique et réfrigérer au moins 24 heures pour permettre la maturation.

4. Au moment du service, enfiler trois macarons sur chaque brochette. Servir une brochette par personne, accompagnée d'un bon cidre du Québec et, si désiré, d'une boule de crème glacée.

Macarons glacés

Cette rubrique regroupe des recettes de macarons originaux, novateurs et surtout rafraîchissants. Même si leur coque reste la même, leur texture vous surprendra à la dégustation. Découvrez de nouvelles sensations, en laissant de délicieux frissons vous envahir.

Les macarons glacés se conservent sans problème au congélateur pendant plusieurs semaines. Toutefois, il faut toujours penser à les sortir au moins 15 minutes avant le service pour qu'ils reprennent une température d'environ -13 °C.

Les crèmes glacées et sorbets peuvent être confectionnés à l'avance. Si vous manquez de temps ou ne disposez pas d'une sorbetière, achetez-les simplement chez votre glacier préféré. Laissez voguer votre imagination et essayez d'autres recettes selon vos envies.

Macaron glacé ananas et basilic

Quantité : 10 macarons individuels • Planification : 2 jours à l'avance • Niveau : ●●●●○

Préparation du sorbet (jours 1 et 2)

450 g de purée d'ananas (voir page 39)
100 ml d'eau
90 g de sucre
20 feuilles de basilic ciselées

Jour 1. Mettre tous les ingrédients à chauffer dans une grande casserole, en remuant et sans faire bouillir. Laisser refroidir. Transférer dans un récipient, recouvrir d'une pellicule plastique et laisser infuser 24 heures au réfrigérateur, pour permettre au basilic de libérer tous ses arômes.

Jour 2. Verser la préparation infusée dans la sorbetière et mettre en marche jusqu'à ce que le sorbet atteigne son point de congélation. Ranger le sorbet dans un contenant placé préalablement au congélateur, bien protéger de pellicule plastique et congeler.

Préparation de la compotée d'ananas vanillée (jour 2)

175 g d'ananas
25 g de sucre
graines grattées d'une gousse de vanille
1 c. à soupe de fécule de maïs

1. Peler l'ananas, couper en deux, retirer le cœur et découper la chair en petits cubes.

2. Dans une poêle, chauffer les cubes d'ananas, le sucre et les graines de vanille, en remuant jusqu'à évaporation complète du jus.

3. Ajouter la fécule de maïs, mélanger rapidement et retirer du feu. Réserver au froid dans un contenant hermétique.

Confection des coques (jour du service)

1. Préparer la pâte à macarons en ajoutant du colorant jaune avec parcimonie.

2. Préchauffer le four à 150 °C (300 °F).

3. Sur une plaque à pâtisserie tapissée de papier parchemin, dresser des gros ronds d'environ 7,5 cm (3 po) de diamètre. Laisser reposer jusqu'à ce que la surface des coques soit légèrement asséchée.

4. Cuire 20 minutes et laisser refroidir complètement.

Montage (jour du service)

10 feuilles de basilic frais entières

1. Décoller la moitié des coques et les retourner sur des assiettes à dessert individuelles.

2. Poser une grosse boule de sorbet au centre de chaque coque à l'aide d'une cuillère à glace. Décorer d'une feuille de basilic.

3. Déposer de généreuses cuillérées de compotée d'ananas autour de chaque boule de sorbet.

4. Placer les coques restantes en équilibre sur les desserts de façon que la garniture reste bien visible. Servir immédiatement.

Macalong glacé banane et noix variées

Quantité : 10 macalongs individuels • Planification : 1 jour à l'avance • Niveau : ●●●●

Préparation des noix torréfiées (jour 1)

65 g de pacanes

65 g de noix de macadam

65 g d'amandes

65 g de noisettes

1. Préchauffer le four à 180 °C (350 °F). Hacher toutes les noix très finement, de préférence au robot ménager. Disposer à plat sur une plaque à pâtisserie tapissée de papier parchemin et mettre à torréfier 5 minutes. Laisser refroidir et placer au congélateur.

Préparation du sorbet (jour 1)

525 g de purée de bananes (voir page 39)

150 ml d'eau

105 g de sucre

60 g de noix torréfiées

1. Mettre à chauffer la purée de bananes, l'eau et le sucre dans une grande casserole, en remuant et sans faire bouillir. Laisser refroidir.

2. Verser le mélange froid dans la sorbetière et mettre en marche jusqu'à ce que le sorbet atteigne son point de congélation. Ranger dans un grand bol froid et incorporer délicatement les noix torréfiées à l'aide d'une spatule en silicone. Étaler le sorbet sur une épaisseur de 4 cm (1½ po) dans un plat peu profond, tapissé de papier parchemin et placé préalablement au congélateur. Congeler sans couvrir.

Confection des coques (jour du service)

1. Préparer la pâte à macarons en ajoutant la quantité nécessaire de colorant jaune pour obtenir une couleur vive.

2. Préchauffer le four à 150 °C (300 °F).

3. Sur une plaque à pâtisserie tapissée de papier parchemin, dresser des ovales d'environ 13 cm (5 po) de longueur par 4 cm (1½ po) de largeur. Laisser reposer jusqu'à ce que la surface des coques soit légèrement asséchée.

4. Cuire 20 minutes et laisser refroidir complètement.

Montage (jour du service)

200 g de noix torréfiées

1. Décoller la moitié des coques et les retourner sur une plaque propre.

2. Sortir le sorbet du congélateur et découper 10 rectangles de 12 cm (4½ po) de longueur par 3 cm (1¼ po) de largeur. Tremper les quatre tranches de chaque rectangle dans les noix torréfiées pour bien les enrober.

3. Déposer un rectangle de sorbet sur chaque coque et fermer avec les coques restantes sans appuyer.

4. Dans un verre, mélanger une petite quantité de colorant brun avec un bouchon d'alcool blanc, tel que du rhum. À l'aide d'un pinceau très fin, tracer trois traits sur chaque couvercle pour donner l'apparence d'une banane. Servir immédiatement.

Macacube glacé à la bière

Quantité : 25 petits macacubes • Planification : 2 jours à l'avance • Niveau : ●●●●

Préparation du sorbet (jour 1)

105 g de sucre
3 jaunes d'œufs
¾ de bouteille de bière au choix (environ 285 ml)
270 ml de crème à 35 % de matière grasse

1. Mélanger ensemble le sucre et les jaunes d'œufs et battre au fouet jusqu'à ce que la préparation blanchisse. Ajouter la bière et remuer pour obtenir un appareil homogène.

2. Monter la crème et incorporer délicatement au mélange précédent.

3. Verser la préparation dans la sorbetière et mettre en marche jusqu'à l'obtention d'une consistance glacée onctueuse. Étaler le sorbet sur une épaisseur de 4 cm (1½ po) dans un plat peu profond, tapissé de papier parchemin et placé préalablement au congélateur. Congeler sans couvrir.

Confection des coques (jour 2)

1. Préparer la pâte à macarons en ajoutant la quantité nécessaire de colorants brun et jaune pour obtenir une belle couleur ambrée.

2. Préchauffer le four à 150 °C (300 °F).

3. Sur une plaque à pâtisserie tapissée de papier parchemin, dresser des petits carrés d'environ 4 cm (1½ po) de côté. Laisser reposer jusqu'à ce que la surface des coques soit légèrement asséchée.

4. Cuire 12 minutes et laisser refroidir complètement. Placer au congélateur pendant au moins 6 heures.

Montage (jour 2)

1. Décoller la moitié des coques et les retourner sur une plaque propre.

2. Sortir le sorbet du congélateur et découper 25 cubes de 4 cm (1½ po) de côté. Déposer un cube sur chaque coque et fermer avec les coques restantes sans appuyer. Les coques congelées étant très fragiles, il faut réaliser cette étape minutieuse le plus rapidement possible.

3. Ranger les macarons dans un contenant hermétique et congeler au moins 24 heures pour permettre la maturation. Les sortir 15 minutes au minimum avant le service.

Macaron glacé cassis

Quantité : 25 petits macarons • Planification : 2 jours à l'avance • Niveau : ●●●

Préparation du sorbet (jour 1)

210 g de purée de cassis (voir page 39)
210 g de sucre
330 ml d'eau

1. Mettre tous les ingrédients à chauffer dans une grande casserole, en remuant et sans faire bouillir. Laisser refroidir.

2. Verser le mélange froid dans la sorbetière et mettre en marche jusqu'à ce que le sorbet atteigne son point de congélation. Ranger le sorbet dans un contenant placé préalablement au congélateur, bien protéger de pellicule plastique et congeler.

Confection des coques (jour 2)

1. Préparer la pâte à macarons en ajoutant la quantité nécessaire de colorants rouge et bleu pour obtenir un bordeaux prononcé.

2. Préchauffer le four à 150 °C (300 °F).

3. Sur une plaque à pâtisserie tapissée de papier parchemin, dresser des petits ronds d'environ 4,5 cm (1¾ po) de diamètre. Laisser reposer jusqu'à ce que la surface des coques soit légèrement asséchée.

4. Cuire 12 minutes et laisser refroidir complètement. Placer au congélateur pendant au moins 6 heures.

Montage (jour 2)

1. Décoller la moitié des coques et les retourner sur une plaque propre.

2. À l'aide d'une petite cuillère à glace, déposer une boule de sorbet au centre de chaque coque. Fermer avec les coques restantes sans appuyer. Les coques congelées étant très fragiles, il faut réaliser cette étape minutieuse le plus rapidement possible.

3. Ranger les macarons dans un contenant hermétique et congeler au moins 24 heures pour permettre la maturation. Les sortir 15 minutes au minimum avant le service.

Macaron glacé chocolat et piment

Quantité : 25 petits macarons • Planification : 2 jours à l'avance • Niveau : ●●●

Préparation du sorbet (jour 1)

480 ml d'eau
90 g de sucre
15 g de poudre de cacao 100 %
1 piment égrainé
165 g de chocolat noir à 65 % de cacao en petits morceaux

1. Mettre l'eau, le sucre, la poudre de cacao et le piment dans une casserole. Mélanger pour bien incorporer le cacao et broyer le piment. Faire bouillir le mélange.

2. Verser le liquide bouillant sur le chocolat dans un bol. Mélanger jusqu'à homogénéité et laisser refroidir.

3. Verser le mélange froid dans la sorbetière et mettre en marche jusqu'à ce que le sorbet atteigne son point de congélation. Ranger le sorbet dans un contenant placé préalablement au congélateur, bien protéger de pellicule plastique et congeler.

Confection des coques (jour 2)

1. Préparer la pâte à macarons en ajoutant 10 g de poudre de cacao 100 %; si une teinte plus foncée est désirée, ajouter également du colorant brun et quelques gouttes de colorant rouge pour donner de l'éclat.

2. Préchauffer le four à 150 °C (300 °F).

3. Sur une plaque à pâtisserie tapissée de papier parchemin, dresser des petits ronds d'environ 4,5 cm (1¾ po) de diamètre. Laisser reposer jusqu'à ce que la surface des coques soit légèrement asséchée.

4. Cuire 12 minutes et laisser refroidir complètement. Placer au congélateur pendant au moins 6 heures.

Montage (jour 2)

1. Décoller la moitié des coques et les retourner sur une plaque propre.

2. À l'aide d'une petite cuillère à glace, déposer une boule de sorbet au centre de chaque coque. Fermer avec les coques restantes sans appuyer. Les coques congelées étant très fragiles, il faut réaliser cette étape minutieuse le plus rapidement possible.

3. Ranger les macarons dans un contenant hermétique et congeler au moins 24 heures pour permettre la maturation. Les sortir 15 minutes au minimum avant le service.

Macovale glacé exotique marbré

Quantité : 25 petits macovales • Planification : 2 jours à l'avance • Niveau : ●●●

Préparation du sorbet (jour 1)

120 g de purée de mangues (voir page 39)
9 fruits de la passion (120 g)
120 ml de lait de coco
135 g de sucre
270 ml d'eau

1. Couper les fruits de la passion en deux et récupérer la pulpe à l'aide d'une petite cuillère.

2. Chauffer tous les ingrédients dans une grande casserole, en remuant et sans faire bouillir. Laisser refroidir.

3. Verser le mélange froid dans la sorbetière et mettre en marche jusqu'à ce que le sorbet atteigne son point de congélation. Ranger le sorbet dans un contenant placé préalablement au congélateur, bien protéger de pellicule plastique et congeler.

Confection des coques (jour 2)

1. Préparer la pâte à macarons. Peser la pâte et la séparer en deux parties égales. Ajouter dans l'une la quantité nécessaire de colorant jaune et une pointe de colorant rouge, pour obtenir un beau jaune exotique, et laisser l'autre blanche.

2. Préchauffer le four à 150 °C (300 °F).

3. Verser chacune des préparations dans une poche sans douille (le bout doit être entaillé de la même grandeur), puis placer les deux poches dans une poche à douille. Sur une plaque à pâtisserie tapissée de papier parchemin, dresser des ovales d'environ 5 cm (2 po) de longueur par 4 cm (1½ po) de largeur. Laisser reposer jusqu'à ce que la surface des coques soit légèrement asséchée.

4. Cuire 12 minutes et laisser refroidir complètement. Placer au congélateur pendant au moins 6 heures.

Montage (jour 2)

1. Décoller la moitié des coques et les retourner sur une plaque propre.

2. À l'aide d'une petite cuillère à glace, déposer une boule de sorbet sur chaque coque. Fermer avec les coques restantes sans appuyer. Les coques congelées étant très fragiles, il faut réaliser cette étape minutieuse le plus rapidement possible.

3. Ranger les macarons dans un contenant hermétique et congeler au moins 24 heures pour permettre la maturation. Les sortir 15 minutes au minimum avant le service.

Macalong glacé fraise et rhubarbe

Quantité : 10 macalongs individuels • Planification : 1 jour à l'avance • Niveau : ●●●

Préparation du sorbet (jour 1)

250 g de purée de fraises (voir page 39)
250 g de purée de rhubarbe (voir page 39)
250 g de sucre
170 ml d'eau

1. Chauffer tous les ingrédients dans une grande casserole, en remuant et sans faire bouillir. Laisser refroidir.

2. Verser le mélange froid dans la sorbetière et mettre en marche jusqu'à ce que le sorbet atteigne son point de congélation. Ranger le sorbet dans un contenant placé préalablement au congélateur, bien protéger de pellicule plastique et congeler.

Confection des coques (jour du service)

1. Préparer la pâte à macarons en ajoutant du colorant vert avec parcimonie.

2. Préchauffer le four à 150 °C (300 °F).

3. Sur une plaque à pâtisserie tapissée de papier parchemin, dresser des rectangles d'environ 11,5 cm (4½ po) de longueur par 4,5 cm (1¾ po) de largeur. Laisser reposer jusqu'à ce que la surface des coques soit légèrement asséchée.

4. Cuire 20 minutes et laisser refroidir complètement.

Montage (au moment du service)

1. Décoller la moitié des coques et les retourner sur une plaque propre.

2. À l'aide d'une petite cuillère à glace, aligner 5 boules de sorbet sur chaque coque. Placer les coques restantes sur le dessus, sans appuyer, en les décalent légèrement vers l'arrière de façon à ce que les boules de sorbet soient bien visibles. Servir immédiatement.

Macaron glacé lime

Quantité : 25 petits macarons • Planification : 2 jours à l'avance • Niveau : ●●

Préparation du sorbet (jour 1)

210 ml de jus de lime fraîchement pressé
195 g de sucre
345 ml d'eau

1. Chauffer tous les ingrédients dans une grande casserole, en remuant et sans faire bouillir. Laisser refroidir.

2. Verser le mélange froid dans la sorbetière et mettre en marche jusqu'à ce que le sorbet atteigne son point de congélation. Ranger le sorbet dans un contenant placé préalablement au congélateur, bien protéger de pellicule plastique et congeler.

Confection des coques (jour 2)

1. Préparer la pâte à macarons en ajoutant la quantité nécessaire de colorant vert pour obtenir un beau vert lime vif.

2. Préchauffer le four à 150 °C (300 °F).

3. Sur une plaque à pâtisserie tapissée de papier parchemin, dresser des petits ronds d'environ 4,5 cm (1¾ po) de diamètre. Laisser reposer jusqu'à ce que la surface des coques soit légèrement asséchée.

4. Cuire 12 minutes et laisser refroidir complètement. Placer au congélateur pendant au moins 6 heures.

Montage (jour 2)

1. Décoller la moitié des coques et les retourner sur une plaque propre.

2. À l'aide d'une petite cuillère à glace, déposer une boule de sorbet au centre de chaque coque. Fermer avec les coques restantes sans appuyer. Les coques congelées étant très fragiles, il faut réaliser cette étape minutieuse le plus rapidement possible.

3. Ranger les macarons dans un contenant hermétique et congeler au moins 24 heures pour permettre la maturation. Les sortir 15 minutes au minimum avant le service.

Macaron glacé au miel

Quantité : 25 petits macarons • Planification : 2 jours à l'avance • Niveau : ●●●

Préparation de la crème glacée (jour 1)

480 ml de lait à 3,25 % de matière grasse
150 ml de crème à 35 % de matière grasse
3 jaunes d'œufs
90 g de miel

1. Préparer une crème anglaise : fouetter ensemble le miel et les jaunes d'œufs. Mettre le lait et la crème à bouillir. Verser une partie du liquide bouillant sur le mélange de miel et de jaunes d'œufs, et mélanger. Ajouter au reste de liquide dans la casserole et remettre à chauffer à feu moyen en remuant sans arrêt. Cuire la crème anglaise jusqu'à ce qu'elle nappe la spatule ou, idéalement, jusqu'à ce que le thermomètre indique 85 °C (185 °F). Retirer immédiatement du feu et laisser refroidir. Le mélange devient alors un mix.

2. Verser le mix froid dans la sorbetière et mettre en marche jusqu'à l'obtention d'une consistance glacée onctueuse. Ranger la crème glacée dans un contenant placé préalablement au congélateur, bien protéger de pellicule plastique et congeler.

Confection des coques (jour 2)

1. Préparer la pâte à macarons en ajoutant du colorant jaune avec parcimonie.

2. Préchauffer le four à 150 °C (300 °F).

3. Sur une plaque à pâtisserie tapissée de papier parchemin, dresser des petits ronds d'environ 4,5 cm (1¾ po) de diamètre. Laisser reposer jusqu'à ce que la surface des coques soit légèrement asséchée.

4. Cuire 12 minutes et laisser refroidir complètement. Placer au congélateur pendant au moins 6 heures.

Montage (jour 2)

1. Décoller la moitié des coques et les retourner sur une plaque propre.

2. À l'aide d'une petite cuillère à glace, déposer une boule de crème glacée au centre de chaque coque. Fermer avec les coques restantes sans appuyer. Les coques congelées étant très fragiles, il faut réaliser cette étape minutieuse le plus rapidement possible.

3. Ranger les macarons dans un contenant hermétique et congeler au moins 24 heures pour permettre la maturation. Les sortir 15 minutes au minimum avant le service.

Macaron glacé pêche

Quantité : 10 macarons individuels • Planification : 2 jours à l'avance • Niveau : ●●●

Préparation du sorbet (jour 1)

450 g de purée de pêches jaunes ou blanches (voir page 39)
150 g de sucre
135 ml d'eau

1. Mettre tous les ingrédients à chauffer dans une grande casserole, en remuant et sans faire bouillir. Laisser refroidir.

2. Verser le mélange froid dans la sorbetière et mettre en marche jusqu'à ce que le sorbet atteigne son point de congélation. Ranger le sorbet dans un contenant placé préalablement au congélateur, bien protéger de pellicule plastique et congeler.

Confection des coques (jour 2)

1. Préparer la pâte à macarons. Peser la pâte et la séparer en deux parties égales. Pour obtenir de belles couleurs vives, ajouter dans l'une la quantité nécessaire de colorant jaune et une pointe de colorant rouge, et dans l'autre, la quantité nécessaire de colorant rouge.

2. Préchauffer le four à 150 °C (300 °F).

3. Sur une plaque à pâtisserie tapissée de papier parchemin, dresser des gros ronds d'environ 7,5 cm (3 po) de diamètre, en utilisant une poche propre pour chaque couleur. Laisser reposer jusqu'à ce que la surface des coques soit légèrement asséchée.

4. Cuire 20 minutes et laisser refroidir complètement. Placer au congélateur pendant au moins 6 heures.

Montage (jour 2)

1. Décoller les coques rouges et les retourner sur une plaque propre.

2. À l'aide d'une cuillère à glace, déposer une grosse boule de sorbet au centre de chaque coque. Fermer avec les coques jaunes sans appuyer. Les coques congelées étant très fragiles, il faut réaliser cette étape minutieuse le plus rapidement possible.

3. Ranger les macarons dans un contenant hermétique et congeler au moins 24 heures pour permettre la maturation. Les sortir 25 minutes au minimum avant le service.

Variantes : Remplacer la purée de pêches par de la purée de nectarines. Agrémenter la recette par l'ajout d'épices au choix (cannelle, safran, etc.).

Macacube glacé au poivre

Quantité : 25 petits macacubes • Planification : 2 jours à l'avance • Niveau : ●●●●

Préparation de la crème glacée (jours 1 et 2)

450 ml de lait à 3,25 % de matière grasse

18 g de grains de poivre de Sichuan moulus très finement

150 ml de crème à 35 % de matière grasse

120 g de sucre

3 jaunes d'œufs

Jour 1

Faire bouillir le lait et le poivre. Couvrir, laisser refroidir et faire infuser 24 heures au réfrigérateur.

Jour 2

1. Préparer une crème anglaise : fouetter ensemble le sucre et les jaunes d'œufs. Faire bouillir le lait poivré et la crème. Verser une partie du liquide bouillant sur le mélange de sucre et de jaunes d'œufs, et mélanger. Ajouter au reste de liquide dans la casserole et remettre à chauffer à feu moyen en remuant sans arrêt. Cuire la crème anglaise jusqu'à ce qu'elle nappe la spatule ou, idéalement, jusqu'à ce que le thermomètre indique 85 °C (185 °F). Retirer immédiatement du feu et laisser refroidir. Le mélange devient alors un mix.

2. Verser le mix froid dans la sorbetière et mettre en marche jusqu'à l'obtention d'une consistance glacée onctueuse. Étaler la crème glacée sur une épaisseur de 4 cm (1 ½ po) sur un plat peu profond, tapissé d'un papier parchemin et placé préalablement au congélateur. Congeler sans couvrir.

Confection des coques (jour 2)

5 g de grains de poivre de Sichuan moulus

1. Préparer la pâte à macarons sans ajout de colorant.

2. Préchauffer le four à 150 °C (300 °F).

3. Sur une plaque à pâtisserie tapissée de papier parchemin, dresser des petits carrés d'environ 4 cm (1½ po) de côté. Parsemer de poivre moulu et laisser reposer jusqu'à ce que la surface des coques soit légèrement asséchée.

4. Cuire 12 minutes et laisser refroidir complètement. Placer au congélateur pendant au moins 6 heures.

Montage (jour 2)

1. Décoller la moitié des coques et les retourner sur une plaque propre.

2. Sortir la crème glacée du congélateur, découper 25 cubes de 4 cm (1 ½ po) de côté. Disposer 1 cube sur chaque coque et fermer les coques restantes sans appuyer.

3. Ranger les macarons dans un contenant hermétique et congeler au moins 24 heures pour permettre la maturation. Les sortir 15 minutes au minimum avant le service.

Entier / Whole

POIVRE DE SÉCHUA

GREEN SCZECHWA

ÉPICES

Macaron glacé rhum et raisin

Quantité : 12 macarons moyens • Planification : 1 jour à l'avance • Niveau : ●●●●○

Préparation des raisins secs macérés (jour 1)

210 g de raisins secs blonds   210 ml de rhum brun

1. Mettre dans un contenant hermétique 60 g de raisins secs et 60 ml de rhum, et dans un autre, 150 g de raisins secs et 150 ml de rhum. Laisser macérer 24 heures.

Préparation de la crème glacée aux œufs (jour 1)

420 ml de lait à 3,25 % de matière grasse   105 g de sucre
6 jaunes d'œufs   60 g de raisins secs macérés

1. Préparer une crème anglaise : fouetter ensemble le sucre et les jaunes d'œufs. Faire bouillir le lait. Verser une partie du lait bouillant sur le mélange de sucre et de jaunes d'œufs, et mélanger. Ajouter au reste de lait dans la casserole et remettre à chauffer à feu moyen en remuant sans arrêt. Cuire la crème anglaise jusqu'à ce qu'elle nappe la spatule ou, idéalement, jusqu'à ce que le thermomètre indique 85 °C (185 °F). Retirer immédiatement du feu et laisser refroidir.

2. Égoutter les raisins secs macérés et incorporer à la crème anglaise froide. Le mélange devient alors un mix.

3. Verser le mix dans la sorbetière et mettre en marche jusqu'à l'obtention d'une consistance glacée onctueuse. Ranger la crème glacée dans un contenant placé préalablement au congélateur, bien protéger de pellicule plastique et congeler.

Confection des coques (jour du service)

1. Préparer la pâte à macarons sans ajout de colorant.

2. Préchauffer le four à 150 °C (300 °F).

3. Sur une plaque à pâtisserie tapissée de papier parchemin, dresser des ronds moyens d'environ 6,5 cm (2½ po) de diamètre. Laisser reposer jusqu'à ce que la surface des coques soit légèrement asséchée.

4. Cuire 15 minutes et laisser refroidir complètement. Placer au congélateur pendant au moins 6 heures.

Montage (au moment du service)

150 g de raisins secs macérés

1. Bien égoutter les raisins et éponger avec du papier essuie-tout.

2. Décoller la moitié des coques et les retourner sur des assiettes à dessert individuelles.

3. À l'aide d'une cuillère à glace moyenne, déposer une boule de crème glacée aux œufs au centre de chaque coque et, sur le pourtour, disposer un collier de raisins secs macérés. Fermer avec les coques restantes sans appuyer. Les coques congelées étant très fragiles, il faut réaliser cette étape minutieuse le plus rapidement possible. Servir immédiatement.

desserts

Macarons-desserts

Les macarons-desserts, plus élaborés, terminent en beauté un bon repas. Des classiques revisités à nos compositions personnelles, ces desserts à base de macaron laissent place à la créativité. Gâtez vos invités tout en vous faisant plaisir !

Mac'vanille et framboise

Quantité : 1 gâteau de 6 portions • Planification : le jour même • Niveau : ●●●●

Confection des coques

5 g de biscuits gavottes émiettés
5 g d'amandes effilées

5 g de pistaches hachées

1. Préparer la pâte à macarons sans ajout de colorant.

2. Préchauffer le four à 150 °C (300 °F).

3. Sur une plaque à pâtisserie tapissée de papier parchemin, dresser un disque de 20 cm (8 po) de diamètre, en déposant la pâte en spirale à partir du centre. Dresser également un anneau de 20 cm (8 po) de diamètre extérieur par 9 cm (3½ po) de diamètre intérieur. L'emploi d'un gabarit est conseillé pour obtenir des formes régulières. Parsemer de biscuits gavottes, de pistaches et d'amandes. Laisser reposer jusqu'à ce que la surface des coques soit légèrement asséchée.

4. Cuire 25 minutes et laisser refroidir complètement.

> Remarque : Avec la pâte restante, confectionnez des coques de la taille de votre choix. Rangez-les dans un contenant hermétique et conservez-les au congélateur pour une prochaine recette.

Préparation de la crème légère

250 ml de lait à 3,25 % de matière grasse
graines grattées d'une gousse de vanille
30 g de fécule de maïs

60 g de sucre
2 œufs
100 ml de crème à 35 % de matière grasse

1. Préparer une crème pâtissière : fouetter ensemble le sucre, les œufs et la fécule. Faire bouillir le lait et la vanille. Verser une partie du lait bouillant sur le mélange de sucre, d'œufs et de fécule, et mélanger. Ajouter au reste de lait dans la casserole et remettre à chauffer à feu moyen. Porter à ébullition en fouettant constamment et poursuivre la cuisson 3 minutes jusqu'à épaississement. Ranger la crème dans un petit contenant, couvrir et réfrigérer.

2. Monter la crème, fouetter jusqu'à consistance ferme.

3. Mettre la crème pâtissière froide dans un bol et fouetter pour lui redonner une consistance lisse et homogène. Incorporer délicatement la crème montée sans trop mélanger.

Montage

2 casseaux de framboises fraîches

1. Décoller la coque en forme de disque et la retourner sur un plat de service. À l'aide d'une poche à douille, garnir généreusement de crème légère, en laissant 1,25 cm (½ po) de pourtour sans crème.

2. Former une couronne de framboises sur le pourtour du gâteau, puis déposer la coque en forme d'anneau.

3. Avec le reste de crème légère, garnir le centre de l'anneau jusqu'à la surface. Disposer les framboises harmonieusement, de façon à recouvrir entièrement la crème.

4. Réfrigérer le gâteau et le sortir 15 minutes avant le service.

Variante : Remplacer la crème vanille par du crémeux citron (voir recette du macaron citron à la page 78; doubler la recette) et colorer la pâte à macaron en rose.

Mac'Mont-Blanc

Quantité : 6 desserts individuels • Planification : le jour même • Niveau : ●●●●●

Confection des coques

1. Préparer la pâte à macarons sans ajout de colorant.

2. Préchauffer le four à 150 °C (300 °F).

3. Sur une plaque à pâtisserie tapissée de papier parchemin, dresser des ronds moyens d'environ 5 cm (2½ po) de diamètre. Laisser reposer jusqu'à ce que la surface des coques soit légèrement asséchée.

4. Cuire 15 minutes et laisser refroidir.

> Remarque : Avec la pâte restante, confectionnez des coques de la taille de votre choix. Rangez-les dans un contenant hermétique et conservez-les au congélateur pour une prochaine recette.

Montage

150 ml de crème à 35 % de matière grasse
6 marrons glacés en brisures (facultatif)
300 g de pâte de marron (voir page 35)
20 g de sucre glace

1. Monter la crème au fouet ou au batteur jusqu'à consistance ferme. À l'aide d'une spatule en silicone, incorporer délicatement la moitié des brisures de marron glacé.

2. Décoller les coques et les retourner sur des petites assiettes de service. Avec une poche à douille, dresser une grosse boule de crème fouettée sur chaque coque. Passer la pâte de marron au presse-purée pour obtenir des vermicelles et les disposer en dôme sur la crème fouettée.

3. Saupoudrer de sucre glace, décorer avec les brisures de marron restantes et réserver au froid avant de servir.

Mac'Paris-Brest

Quantité : 6 desserts individuels • Planification : le jour même • Niveau : ●●●●○

Confection des coques

25 g de noisettes concassées   25 g d'amandes hachées

1. Préparer la pâte à macarons en ajoutant la quantité nécessaire de colorant brun et une pointe de colorant jaune pour obtenir une belle couleur praliné.

2. Préchauffer le four à 150 °C (300 °F).

3. Sur une plaque à pâtisserie tapissée de papier parchemin, dresser des anneaux d'environ 9 cm (3½ po) de diamètre extérieur par 4 cm (1½ po) de diamètre intérieur. L'emploi d'un gabarit facilitera la tâche. Parsemer la moitié des anneaux de noisettes et d'amandes. Réserver jusqu'à ce que la surface des coques soit légèrement asséchée.

4. Cuire 15 minutes et laisser refroidir.

> Remarque : Avec la pâte restante, confectionnez des coques de la taille de votre choix. Rangez-les dans un contenant hermétique et conservez-les au congélateur pour une prochaine recette.

Préparation de la crème mousseline

125 ml de lait à 3,25 % de matière grasse   15 g de fécule de maïs
graines grattées d'une demi-gousse de vanille   110 g de beurre doux
1 œuf   40 g de praliné amande-noisette
30 g de sucre

1. Sortir le beurre 1 heure avant le début de la préparation pour le porter à température ambiante.

2. Préparer une crème pâtissière : fouetter ensemble l'œuf, le sucre et la fécule. Faire bouillir le lait et la vanille. Verser une partie du lait bouillant sur le mélange d'œuf, de sucre et de vanille, et mélanger. Ajouter au reste de lait dans la casserole et remettre à chauffer à feu moyen. Porter à ébullition en fouettant constamment et poursuivre la cuisson 3 minutes jusqu'à épaississement. Ranger la crème dans un petit contenant, couvrir et réfrigérer.

3. Lisser la crème pâtissière froide au fouet, puis faire tiédir sur le feu.

4. Mettre le beurre dans un bol et lisser au fouet. Ajouter le praliné et fouetter jusqu'à homogénéité.

5. Ajouter la crème pâtissière et monter au batteur jusqu'à l'obtention d'une crème ferme et onctueuse, facile à travailler à la poche.

Montage

25 g de sucre glace

1. Décoller la moitié des anneaux sans noix et les retourner sur un plat de service ou des assiettes à dessert individuelles. Garnir de crème mousseline à l'aide d'une poche à douille cannelée : dresser une rosace en hauteur en un mouvement circulaire, sans déborder dans le trou des anneaux. Déposer un anneau parsemé de noix au sommet de chaque rosace, sans appuyer.

2. Servir immédiatement ou réfrigérer et sortir les desserts 15 minutes avant le service. Saupoudrer les couvercles de sucre glace avant de servir.

Mac' profiteroles

Quantité : 8 desserts individuels • Planification : 1 jour à l'avance • Niveau : ●●●●

Préparation de la crème glacée (jour 1)

120 ml de lait à 3,25 % de matière grasse
45 ml de crème à 35 % de matière grasse
graines grattées de deux gousses de vanille

300 g de sucre
15 jaunes d'œufs

1. Préparer une crème anglaise : fouetter ensemble le sucre et les jaunes d'œufs. Faire bouillir le lait, la crème et la vanille. Verser une partie du liquide bouillant sur le mélange de sucre et de jaunes d'œufs, et mélanger. Ajouter au reste de liquide dans la casserole et remettre à chauffer à feu moyen en remuant sans arrêt. Cuire la crème anglaise jusqu'à ce qu'elle nappe la spatule ou, idéalement, jusqu'à ce que le thermomètre indique 85 °C (185 °F). Retirer immédiatement du feu et laisser refroidir. Le mélange devient alors un mix.

2. Verser le mix froid dans la sorbetière et mettre en marche jusqu'à l'obtention d'une consistance glacée onctueuse. Étaler la crème glacée sur une épaisseur de 4 cm (1½ po) dans un plat peu profond, tapissé de papier parchemin et placé préalablement au congélateur. Congeler sans couvrir.

Préparation de la sauce au chocolat (jour 1)

50 ml de lait à 3,25 % de matière grasse
50 ml de crème à 35 % de matière grasse

70 g de chocolat noir à 65 % de cacao en petits morceaux

1. Faire bouillir le lait et la crème. Verser sur le chocolat dans un bol et mélanger jusqu'à consistance lisse et homogène.

2. Ranger dans un contenant et réserver au froid.

Confection des coques (jour du service)

1. Préparer la pâte à macarons sans ajout de colorant.

2. Préchauffer le four à 150 °C (300 °F).

3. Sur une plaque à pâtisserie tapissée de papier parchemin, dresser des petits ronds d'environ 4,5 cm (1¾ po) de diamètre. Laisser reposer jusqu'à ce que la surface des coques soit légèrement asséchée.

4. Cuire 12 minutes et laisser refroidir complètement. Placer au congélateur pendant au moins 6 heures.

Montage (au moment du service)

50 g d'amandes effilées grillées

1. Chauffer la sauce au chocolat.

2. Disposer trois coques retournées sur chaque assiette de service.

3. Sortir la crème glacée du congélateur et découper 24 cubes de 4 cm (1½ po) de côté. Placer un cube sur chaque coque, puis fermer avec les coques restantes sans appuyer. Les coques congelées étant très fragiles, il faut réaliser cette étape minutieuse le plus rapidement possible.

4. Servir les desserts immédiatement, accompagnés de sauce au chocolat chaude et parsemés d'amandes effilées.

Macatarte poire, chocolat au lait et cardamome

Quantité : 1 tarte de 6 portions • Planification : 2 jours à l'avance • Niveau : ●●●●●

Préparation de la mousse au chocolat (jours 1 et 2)

50 ml de lait à 3,25 % de matière grasse

50 ml de crème à 35 % de matière grasse

5 graines de cardamome écrasées

1 jaune d'œuf

10 g de sucre

200 g de chocolat au lait en petits morceaux

175 ml de crème à 35 % de matière grasse

Jour 1

Faire bouillir le lait, les 50 ml de crème et la cardamome. Couvrir, laisser refroidir et faire infuser 24 heures au réfrigérateur.

Jour 2

1. Préparer une crème anglaise : fouetter ensemble le sucre et le jaune d'œuf. Passer les liquides infusés à la passoire, pour retirer les morceaux de cardamome, et faire bouillir. Verser une partie du liquide bouillant sur le mélange de sucre et de jaune d'œuf, et mélanger. Ajouter au reste de liquide dans la casserole et remettre à chauffer à feu moyen en remuant sans arrêt. Cuire la crème anglaise jusqu'à ce qu'elle nappe la spatule ou, idéalement, jusqu'à ce que le thermomètre indique 85 °C (185 °F). Retirer immédiatement du feu et verser sur le chocolat dans un bol. Remuer pour obtenir un mélange homogène.

2. Monter les 75 ml de crème à fouetter jusqu'à consistance souple. Incorporer délicatement au mélange chocolaté à l'aide d'une spatule en silicone.

3. Tapisser de pellicule plastique un moule carré d'environ 15 cm (6 po) de côté. Couler la mousse sur une épaisseur d'environ 1,25 cm (½ po) et placer au congélateur jusqu'au lendemain.

Préparation des poires pochées (jour 2)

125 ml d'eau

graines grattées d'une demi-gousse de vanille (facultatif)

170 g de sucre

15 ml d'alcool de poire (facultatif)

2 poires

1. Faire bouillir l'eau, le sucre, les graines de vanille et l'alcool de poire. Une fois le sirop prêt, baisser le feu à doux.

2. Éplucher les poires et retirer le cœur. Ajouter au sirop et laisser pocher jusqu'à tendreté. Retirer du sirop, égoutter et mettre à refroidir.

> Remarque : À défaut de poires fraîchement pochées, utiliser des demi-poires au sirop en conserve.

Confection des coques (jour du service)

1. Préparer la pâte à macarons en ajoutant la quantité nécessaire de colorant brun.

2. Préchauffer le four à 150 °C (300 °F).

3. Sur une plaque à pâtisserie tapissée de papier parchemin, dresser un carré plein de 18 cm (7 po) de côté, en déposant la pâte en carrés de plus en plus grands à partir du centre. Dresser également un carré ajouré de 13 cm (5 po) de côté extérieur par 5 cm (2 po) de côté intérieur. L'emploi d'un gabarit est conseillé pour obtenir des formes régulières. Laisser reposer jusqu'à ce que la surface des coques soit légèrement asséchée.

4. Cuire 25 minutes et laisser refroidir complètement.

> Remarque : Avec la pâte restante, confectionnez des coques de la taille de votre choix. Rangez-les dans un contenant hermétique et conservez-les au congélateur pour une prochaine recette.

Montage (jour du service)

1. Décoller la coque pleine et la retourner sur un plat de service.

2. Démouler le carré de mousse au chocolat (au besoin, tremper le fond du plat dans l'eau chaude pour faciliter le démoulage) et déposer en angle droit sur un coin de la coque.

3. Couper les poires en deux, puis en lamelles, dans le sens de la longueur. Disposer les lamelles en diagonale sur les deux pourtours libres, en les alignant sur le bord de la coque et en les faisant chevaucher.

4. Placer la coque ajourée en angle droit sur le carré de mousse et former une belle rosace de poire dans la partie ajourée.

5. Réfrigérer et servir frais dans les heures suivant le montage.

Tarte macaron tutti-frutti

Quantité : 1 tarte de 6 portions • Planification : le jour même • Niveau : ●●●

Confection de la coque

1. Préparer la pâte à macarons en ajoutant la quantité nécessaire de colorant jaune pour obtenir une couleur vive.

2. Préchauffer le four à 150 °C (300 °F).

3. Sur une plaque à pâtisserie tapissée de papier parchemin, dresser un rectangle de 25 cm (10 po) de longueur par 13 cm (5 po) de largeur, en déposant la pâte en rectangles de plus en plus grands à partir du centre. L'emploi d'un gabarit est conseillé pour obtenir des formes régulières. Laisser reposer jusqu'à ce que la surface de la coque soit légèrement asséchée.

4. Cuire 25 minutes et laisser refroidir complètement.

> Remarque : Avec la pâte restante, confectionnez des coques de la taille de votre choix. Rangez-les dans un contenant hermétique et conservez-les au congélateur pour une prochaine recette.

Préparation de la crème légère

125 ml de lait à 3,25 % de matière grasse
graines grattées d'une demi-gousse de vanille
30 g de sucre
15 g de fécule de maïs

1 œuf
50 ml de crème à 35 % de matière grasse

1. Préparer une crème pâtissière : fouetter ensemble le sucre, l'œuf et la fécule. Faire bouillir le lait et la vanille. Verser une partie du lait bouillant sur le mélange de sucre, d'œuf et de fécule, et mélanger. Ajouter au reste de lait dans la casserole et remettre à chauffer à feu moyen. Porter à ébullition en fouettant constamment et poursuivre la cuisson 3 minutes jusqu'à épaississement. Ranger la crème dans un petit contenant, couvrir et réfrigérer.

2. Monter la crème, fouetter jusqu'à consistance ferme.

3. Mettre la crème pâtissière froide dans un récipient et fouetter pour lui redonner une consistance lisse et homogène. Incorporer délicatement la crème montée sans trop mélanger.

Montage (peu avant le service)

Fruits de saison au choix

1. Préparer les fruits selon la variété (laver, éplucher, retirer le cœur, dénoyauter) et détailler au goût.

2. Retourner la coque sur un plat de service. À l'aide d'une poche à douille, garnir généreusement la surface de crème légère, en prenant soin de laisser 1,25 cm (½ po) de pourtour sans crème.

3. Recouvrir la crème harmonieusement et abondamment de fruits frais préparés. Il faut créer du volume et jouer avec les couleurs.

4. Réfrigérer la macatarte et la sortir 15 minutes avant le service.

Mac'tiramisu

Quantité : 8 verrines individuelles • Planification : le jour même • Niveau : ●●●●●

Confection des coques

5 g de poudre de cacao 100 %

1. Préparer la pâte à macarons en ajoutant du colorant brun avec parcimonie.

2. Préchauffer le four à 150 °C (300 °F).

3. Sur une plaque à pâtisserie tapissée de papier parchemin, dresser 16 tiges de macaron de 18 cm (7 po) de longueur par 2 cm (¾ po) de largeur et des coques d'environ 6,5 cm (2½ po) de diamètre (ou du diamètre du verre utilisé pour le montage au tiers de sa hauteur). Laisser reposer jusqu'à ce que la surface des coques soit légèrement asséchée.

4. Saupoudrer les tiges de poudre de cacao lorsque la surface est sèche.

5. Cuire les macarons 15 minutes et les tiges, 10 minutes. Laisser refroidir complètement.

Préparation de la crème tiramisu

440 g de mascarpone
160 ml de café fort
40 g de café soluble

220 ml de crème à 35 % de matière grasse
60 g de sucre
30 ml d'amaretto

1. Mélanger le mascarpone, le café fort et le café soluble. Fouetter jusqu'à consistance lisse et homogène.

2. Monter la crème, fouetter jusqu'à consistance ferme, en ajoutant le sucre en fin de montage.

3. À l'aide d'une spatule en silicone, incorporer délicatement la crème montée à la préparation au mascarpone. Ajouter l'amaretto et mélanger à peine. Réserver au froid.

Montage (au moment du service)

8 verres évasés à large ouverture (de 7,5 à 10 cm [3 à 4 po] de hauteur à partir du pied)
50 g de chocolat noir à 61 % de cacao en petits morceaux
80 ml de café fort
25 g de poudre de cacao 100 %

1. Faire fondre le chocolat au bain-marie ou au micro-ondes. À l'aide d'un pinceau, étendre une fine couche de chocolat fondu sur la face plate de 8 coques pour les imperméabiliser.

2. Verser un fond de café froid dans chaque verre. Déposer une coque préparée, face imperméabilisée vers le bas, sur la surface du café.

3. À l'aide d'une poche à douille, remplir le verre de crème tiramisu au deux tiers de sa hauteur.

4. Émietter les macarons restants et disposer une petite quantité de brisures sur la crème. Recouvrir d'une autre couche de crème et répartir les brisures restantes dans chacun des verres.

5. Pour la finition, saupoudrer de poudre de cacao et insérer 2 tiges entrecroisées dans chaque verre. Servir immédiatement.

Macarons sucrés-salés

Les possibilités de recettes de macarons sont infinies. En incorporant des ingrédients salés dans leur garniture, vous obtiendrez des hors d'œuvre originaux et savoureux. Veillez toutefois à n'utiliser que des ingrédients salés qui se marient bien avec le sucre, car les coques restent les mêmes. Les macarons n'ont pas fini de vous étonner.

Toutes les recettes de macarons sucrés-salés sont données pour six macarons, de manière que vous puissiez composer un plateau d'amuse-bouche de plusieurs saveurs différentes. Rangez les coques qui restent dans un contenant hermétique et congelez-les. Vous pourrez ainsi préparer vos prochains macarons cocktail plus rapidement.

Macaron chèvre et courgette

Quantité : 6 petits macarons • Planification : le jour même • Niveau : ⬤

Confection des coques

1. Préparer la pâte à macarons en ajoutant du colorant vert avec parcimonie.

2. Préchauffer le four à 150 °C (300 °F).

3. Sur une plaque à pâtisserie tapissée de papier parchemin, dresser des petits ronds d'environ 4,5 cm (1¾ po) de diamètre. Laisser reposer jusqu'à ce que la surface des coques soit légèrement asséchée.

4. Cuire 12 minutes et laisser refroidir complètement.

Préparation de la garniture et montage

2 courgettes
½ gousse d'ail écrasée
1 brin de persil ciselé
1 pincée de sel et de poivre
1 bûchette de fromage de chèvre frais

1. Éplucher les courgettes, couper en petits cubes et faire compoter avec l'ail, le persil, le sel et le poivre. Réserver au froid.

2. Découper 6 rondelles de fromage de chèvre de 0,5 cm (¼ po) d'épaisseur.

3. Retourner 6 coques. Sur chacune, déposer une rondelle de fromage, puis une cuillerée à café pleine de compotée de courgettes. Recouvrir d'une coque en prenant soin de toujours assembler des coques de même taille. Déguster frais.

Macalong foie gras et figue

Quantité : 6 macalongs moyens • Planification : le jour même • Niveau : ●●●

Confection des coques

1. Préparer la pâte à macarons en ajoutant du colorant brun avec parcimonie.

2. Préchauffer le four à 150 °C (300 °F).

3. Sur une plaque à pâtisserie tapissée de papier parchemin, dresser des rectangles d'environ 7,5 cm (3 po) de longueur par 3 cm (1¼ po) de largeur. Laisser reposer jusqu'à ce que la surface des coques soit légèrement asséchée.

4. Cuire 15 minutes et laisser refroidir complètement.

Montage

3 figues
375 g de foie gras au torchon
50 g de fleur de sel

1. Laver les figues, les couper en deux et détailler en lamelles dans le sens de la hauteur.

2. Découper 12 fines tranches de foie gras.

3. Retourner 6 coques. Sur chacune, disposer en chevauchement deux tranches de foie gras, puis quelques lamelles de figue, et terminer par une pincée de fleur de sel. Placer une coque sur le dessus, en la décalant légèrement en arrière de façon que la garniture soit bien visible. Déguster frais.

Macatriangle guacamole

Une façon chic et originale de remplacer les croustilles épicées !

Quantité : 6 petits macatriangles • Planification : le jour même • Niveau : ●●●

Confection des coques

10 g de piment d'Espelette en poudre

1. Préparer la pâte à macarons en ajoutant la quantité nécessaire de colorant vert et une pointe de jaune
pour obtenir une couleur vive.

2. Préchauffer le four à 150 °C (300 °F).

3. Sur une plaque à pâtisserie tapissée de papier parchemin, dresser des triangles équilatéraux d'environ 5 cm (2 po) de côté.
Saupoudrer très légèrement de piment d'Espelette à l'aide d'une petite passoire. Laisser reposer jusqu'à ce que la surface
des coques soit légèrement asséchée.

4. Cuire 12 minutes et laisser refroidir complètement.

Préparation de la garniture et montage

2 avocats bien mûrs
1 tomate
jus d'un citron
5 gouttes de Tabasco
1 pincée de piment d'Espelette
sel et poivre

1. Pour faire le guacamole, récupérer la chair des avocats et l'écraser à la fourchette. Hacher très finement l'oignon et couper
la tomate en petits dés. Mettre dans un bol avec le reste des ingrédients, mélanger et rectifier l'assaisonnement au besoin.

2. Retourner 6 coques. Garnir de guacamole à l'aide d'une poche à douille et recouvrir d'une coque en prenant soin de toujours
assembler des coques de même taille. Déguster très frais.

Macovale huile d'olive

Quantité : 6 mini-macovales • Planification : 2 jours à l'avance • Niveau : ●●●

Préparation de la ganache (jour 1)

20 ml de crème à 35 % de matière grasse
30 ml d'huile d'olive extra-vierge de haute qualité, puissante en goût
45 g de chocolat blanc en petits morceaux

1. Mettre l'huile d'olive et le chocolat dans un bol.

2. Faire bouillir la crème et verser sur le mélange précédent. Bien remuer jusqu'à consistance lisse et homogène. Laisser refroidir.

3. Ranger dans un contenant et reserver au froid.

Confection des coques (jour 2)

1. Préparer la pâte à macarons en ajoutant la quantité nécessaire de colorants vert et jaune pour obtenir un beau vert olive.

2. Préchauffer le four à 150 °C (300 °F).

3. Sur une plaque à pâtisserie tapissée de papier parchemin, dresser des ovales d'environ 5 cm (2 po) de longueur par 3 cm (1½ po) de largeur. Laisser reposer jusqu'à ce que la surface des coques soit légèrement asséchée.

4. Cuire 12 minutes et laisser refroidir complètement.

Montage (jour 2)

6 demi-olives

1. Retourner 6 coques. Garnir de ganache à l'aide d'une poche à douille, déposer une demi-olive sur chacune et recouvrir d'une coque en prenant soin de toujours assembler des coques de même taille.

2. Ranger les macarons dans un contenant hermétique et réfrigérer au moins 24 heures pour permettre la maturation. Les sortir 15 minutes au minimum avant le service.

Macacube melon et jambon cru

Quantité : 6 petits macacubes • Planification : le jour même • Niveau : ◗

Confection des coques

1. Préparer la pâte à macarons en ajoutant la quantité nécessaire de colorant orange ou, à défaut, d'un mélange de colorants rouge et jaune.

2. Préchauffer le four à 150 °C (300 °F).

3. Sur une plaque à pâtisserie tapissée de papier parchemin, dresser des petits carrés d'environ 4 cm (1½ po) de côté. Laisser reposer jusqu'à ce que la surface des coques soit légèrement asséchée.

4. Cuire 12 minutes et laisser refroidir complètement.

Montage (au moment du service)

1 melon
3 tranches de jambon cru

1. Détailler 6 petits cubes de melon de 2,5 cm (1 po) de côté. Couper chaque tranche de jambon cru en deux sur la longueur. Entourer chaque cube de jambon cru.

2. Retourner 6 coques. Placer au centre un cube de melon au jambon cru et recouvrir d'une coque. Déguster très frais.

Macaron poivron et framboise

Quantité : 6 petits macarons • Planification : 1 ou 2 jours à l'avance • Niveau : ●●●

Préparation du confit (jour 1)

1 poivron rouge
50 g de purée de framboises (voir page 39)
25 g de sucre pectiné

1. Cuire le poivron au four à 180 °C (350 °F) pendant 25 minutes. Laisser refroidir et retirer la peau et les pépins. Écraser la chair à la fourchette.

2. Mettre les purées de framboises et de poivrons à bouillir.

3. Ajouter le sucre pectiné et laisser frémir 5 minutes en remuant constamment. Ranger dans un contenant.

4. Laisser refroidir et réfrigérer au moins 3 heures.

Confection des coques (jour 1 ou 2)

1. Préparer la pâte à macarons en ajoutant la quantité nécessaire de colorant rouge pour obtenir un beau rose framboise.

2. Préchauffer le four à 150 °C (300 °F).

3. Sur une plaque à pâtisserie tapissée de papier parchemin, dresser des petits ronds d'environ 4,5 cm (1¾ po) de diamètre. Laisser reposer jusqu'à ce que la surface des coques soit légèrement asséchée.

4. Cuire 12 minutes et laisser refroidir complètement.

Montage (jour 1 ou 2)

1. Décoller 6 coques et les retourner sur une plaque propre.

2. Garnir généreusement de confit à l'aide d'une poche à douille, puis recouvrir d'une coque, en prenant soin de toujours assembler des coques de même taille.

3. Ranger les macarons dans un contenant hermétique et réfrigérer au moins 24 heures pour permettre la maturation. Sortir les macarons 15 à 30 minutes avant le service.

Macaron saumon fumé et fines herbes

Quantité : 6 petits macarons • Planification : le jour même • Niveau : ●●●

Confection des coques

1. Préparer la pâte à macarons en ajoutant du colorant rouge avec parcimonie pour obtenir un saumon pâle.

2. Préchauffer le four à 150 °C (300 °F).

3. Sur une plaque à pâtisserie tapissée de papier parchemin, dresser des petits ronds d'environ 4,5 cm (1¾ po) de diamètre. Laisser reposer jusqu'à ce que la surface des coques soit légèrement asséchée.

4. Cuire 12 minutes et laisser refroidir complètement.

Préparation de la garniture

50 g de fromage à la crème
1 yogourt nature
175 g de saumon fumé
Aneth, baies roses, sel et poivre, au goût

1. Fouetter tous les ingrédients au robot ménager jusqu'à l'obtention d'une mousse ferme, facile à utiliser à la poche. Réserver au froid.

Montage

1. Décoller 6 coques et les retourner sur une plaque propre.

2. Garnir de mousse de saumon à l'aide d'une poche à douille cannelée de petite taille : dresser une rosace, en un mouvement circulaire. Déposer une coque au sommet de la rosace en prenant soin de toujours assembler des coques de même taille. Déguster très frais.

Gaëlle Crop
chef pâtissière

Remerciements

Nous tenons à remercier toutes les personnes qui, de près ou de loin, ont contribué à la naissance de ce livre. Grâce à leur soutien et leurs encouragements, nous avons eu le bonheur de concrétiser ce projet qui nous tenait tant à cœur.

Gaëlle

À maman : Merci de m'avoir toujours encouragée dans mes choix, d'être là pour moi et de me guider.

À papa : Merci d'avoir cru en moi et de m'avoir laissé choisir cette voie.

À toute ma famille : Merci d'être à mes côtés et de m'avoir toujours soutenue dans les moments difficiles. Je sais que vous êtes fiers de nous et cette reconnaissance m'aide à avancer.

À Christophe Michalak : Merci de m'avoir fait découvrir un monde gourmand revisité et novateur; votre talent m'inspire continuellement. Merci également à toute l'équipe du Plaza Athénée qui m'a donné la chance de me perfectionner et d'apprendre de nombreuses nouvelles techniques.

À Chrystelle, une amie formidable qui a suivi tout mon parcours, toujours prête à m'aider et à m'épauler : Merci pour ta présence et tes conseils.

À tous mes amis qui, malgré la distance, suivent mon évolution : Sincèrement merci.

Enfin, à mon mari et associé : Gros merci à toi, sans qui rien de tout cela n'aurait été possible. Nos compétences sont complémentaires et je suis fière de notre accomplissement.

Johan Crop

chef pâtissier

Johan

À maman : Merci pour ton soutien et tes encouragements tout au long de ces années, malgré les dégâts que j'ai causés dans ta cuisine.

À Danièle : Merci d'avoir fait tous les efforts pour me permettre de continuer mes études en pâtisserie.

À Cyril : Merci. Grâce à toi, j'ai trouvé ma vocation.

À toute ma famille : Merci pour votre soutien et votre générosité.

À Pauline, Cédric et tous mes amis : Merci de m'avoir toujours soutenu. Mehdi, quand je me remémore nos débuts, je me demande comment nous avons pu en arriver là...

À ma femme et associée : Sans toi, je ne serais rien.

Ensemble

Merci à Jean-Michel Besnault, chef pâtissier chez Gérard Mulot. Votre amour du métier, votre patience et votre envie de transmettre nous ont donné l'envie de continuer dans cette voie.

Merci à Patrick Leclerc, chef macarons chez Gérard Mulot, de nous avoir encouragés et enseigné votre savoir-faire.

Merci à Mathieu Lacroix, chef chez Gérard Mulot, d'avoir partagé tes connaissances.

Merci à toutes les personnes qui nous ont fait avancer dans notre carrière.

Merci aux professeurs qui nous ont suivis tout au long de nos études.

Un grand merci à Léo, Teddy et Kathleen pour votre engagement. Vous formez une équipe formidable et nous sommes fiers de vous avoir dans cette aventure.

Merci à nos collaborateurs les équipes de TLS-YUL et ID-GRAPH de nous suivre depuis le début et d'avoir tout de suite cru en nous. Nous espérons continuer de travailler à vos côtés dans cette direction.

Merci aux fournisseurs de vaisselle : Stokes, Renaud-Bray et Trois femmes et un coussin.

Merci à Marc Alain, notre éditeur, de s'être tourné vers nous et d'avoir fait naître ce beau projet. Merci à toute l'équipe de la maison d'édition Modus Vivendi pour votre suivi et vos compétences. Merci aussi à notre photographe André Noël, pour sa patience, il a su comprendre nos attentes et les retransmettre dans son travail.

Un merci tout particulier à tous nos clients sans qui notre boutique n'existerait pas.

Enfin, un grand merci à vous qui lisez ce livre.

Index des macarons

Nous sommes heureux d'avoir partagé avec vous de précieux moments de complicité gourmande et espérons que vous avez pris plaisir à découvrir notre passion.

Nous souhaitons avoir accompli notre mission, en vous aidant à confectionner ces petites merveilles qui, à présent, ne devraient plus avoir de secrets pour vous. Que vous puissiez gâter votre entourage en passant du bon temps sera pour nous la plus grande récompense.

N'hésitez pas à venir nous rencontrer à La Maison du Macaron pour partager vos expériences et découvrir des saveurs sans cesse renouvelées; elles pourraient être de véritables sources d'inspiration.

Gaëlle et Johan Crop chefs pâtissiers
La Maison du macaron
4479, de la Roche, Montréal

lamaisondumacaron.com